Les contes de Grimm

Les contes d'Andersen

Les contes de Perrault

F3450/3
Collection : Les recueils
© Hemma 2010
rue de Chevron 106 - 4987 Chevron - Belgique.
hemma@hemma.be - www.hemma.be
Imprimé en Italie.
Dépôt légal : 0410/0058/158
N° d'impression : 8663.1004

Belles histoires du soir...
au Pays des Contes Classiques

Grimm – Andersen – Perrault

Illustrations de Gustavo Mazalí – Poly Bernatene

Hemma

Les contes de Grimm

Blanche-Neige

C'était l'hiver. La neige tombait et formait un léger duvet sur le sol. Assise à sa fenêtre, une reine cousait tout en regardant voleter les flocons. Soudain, elle se piqua le doigt et trois gouttes de sang tombèrent sur le sol immaculé. Elle pensa : « Si seulement j'avais un enfant à la peau aussi blanche que la neige, aux lèvres aussi rouges que le sang, et aux cheveux aussi noirs que le bois de cette fenêtre ! » Peu de temps après, elle mit au monde une petite fille qui ressemblait en tous points à son rêve.

On l'appela Blanche-Neige. Malheureusement, la reine mourut en lui donnant le jour.

Au bout d'une année, le roi se remaria. Sa nouvelle épouse était très belle, mais elle était fière et vaniteuse. Elle ne pouvait supporter que quelqu'un la surpassât en beauté. Elle possédait un miroir magique qui ne savait dire que la vérité. Souvent, elle lui demandait :

– Miroir, joli miroir, qui est la plus belle du pays ?

Et, chaque fois, le miroir lui répondait :

– C'est vous, ma reine, la plus belle femme de ce royaume.

Cependant, Blanche-Neige grandissait et devenait de plus en plus jolie, si bien qu'un jour le miroir déclara :

– Ma reine, vous êtes parfaite, mais Blanche-Neige est encore mille fois plus ravissante.

La reine en devint verte de jalousie et se mit à détester la jeune fille.
Quelques jours plus tard, elle fit venir un chasseur et lui ordonna :
– Emmène Blanche-Neige dans la forêt ! Tue-la et rapporte-moi son
foie et ses poumons en gage de sa mort.
Le chasseur obéit et conduisit la princesse dans les bois. Mais
devant tant de beauté et de gentillesse, il ne put accomplir son
horrible mission :
– Sauve-toi, pauvre enfant et ne reviens jamais au château !
Il tua alors un marcassin, lui prit son foie et ses poumons et les
rapporta à la reine.

Blanche-Neige resta toute seule au milieu des bois. Elle se mit à courir sur les cailloux pointus et à travers les buissons d'épines. Elle courut ainsi jusqu'au soir, aussi longtemps que ses jambes purent la porter. Enfin, elle aperçut une petite maisonnette et y pénétra pour s'y reposer.

À l'intérieur, tout était minuscule, gracieux et propre.
Une petite table couverte d'une nappe blanche était
dressée pour sept convives. Contre le mur, sept petits lits
alignés les uns à côté des autres étaient recouverts de draps
tout blancs. Blanche-Neige avait si faim et si soif qu'elle
prit dans chaque assiette un peu de légumes et de pain et
but une goutte de vin dans chaque gobelet. Fatiguée, elle
voulut ensuite se coucher.
Mais aucun des lits ne lui convenait : l'un était trop long,
l'autre trop court. Elle les essaya tous. Le septième, enfin,
fut à sa taille.
Elle s'y allongea et s'endormit profondément.

Quand la nuit fut complètement tombée, les propriétaires de la maisonnette arrivèrent. C'étaient sept nains qui travaillaient dans une mine au cœur de la montagne. En entrant, ils allumèrent leurs petites lampes et quand la lumière illumina la pièce, ils virent tout de suite que quelqu'un y était venu.

– Le premier s'écria: Qui s'est assis sur ma chaise?

– Le deuxième: Quelqu'un a mangé dans mon assiette!

– Le troisième: Un morceau de mon pain a disparu!

– Le quatrième: Qui a goûté à mes légumes?

– Le cinquième: On s'est servi de ma fourchette!

– Le sixième: Et moi, de mon couteau!

– Le septième: Mon gobelet est à moitié vide!

Le premier, en se retournant, vit que son lit avait été dérangé. Les autres s'approchèrent en courant et chacun s'écria:

– Dans le mien aussi quelqu'un s'est couché!

Le septième vit alors Blanche-Neige endormie dans son lit.

– Mon Dieu! Que cette enfant est jolie! s'écrièrent-ils tous ensemble.

Mais ils ne voulurent pas la réveiller. Le lendemain matin, quand elle ouvrit les yeux, Blanche-Neige découvrit les sept petits hommes. Elle fut d'abord un peu effrayée, mais oublia vite sa peur sous l'assaut de leurs questions. Elle leur raconta alors la méchanceté de sa belle-mère, et comment elle avait trouvé le chemin de leur petite maison. Les nains lui proposèrent:

– Si tu consens à t'occuper de notre ménage, préparer nos repas, faire les lits, nettoyer, coudre et tricoter, si tu tiens tout en ordre, tu pourras rester avec nous et tu ne manqueras de rien.

Blanche-Neige accepta et s'installa auprès d'eux. Le matin, les nains partaient pour la montagne, où ils arrachaient le fer et l'or, et le soir, à leur retour, leur repas était prêt. Toute la journée, la jeune fille restait seule. Inquiets, les bons petits nains l'avaient mise en garde:

– Méfie-toi de ta belle-mère! Elle apprendra un jour que tu es ici. Surtout, ne laisse entrer personne!

À l'autre bout du royaume, la reine, convaincue de la mort de Blanche-Neige, croyait être redevenue la plus belle. Un jour, elle s'assit devant son miroir et lui demanda :

– Miroir, miroir joli, qui est la plus belle du pays ?

Celui-ci lui répondit :

– Ma reine, vous êtes la plus belle ici, mais, auprès des sept nains, Blanche-Neige est mille fois plus jolie.

À ces mots, la reine se mit à trembler de colère : il fallait que Blanche-Neige disparaisse à jamais. Elle se rendit dans une chambre secrète pour y préparer son maléfice. Elle choisit la pomme la plus appétissante et l'empoisonna. Il suffirait à Blanche-Neige d'en manger un tout petit morceau pour mourir sur-le-champ.

Quand tout fut prêt, la reine se transforma en vieille paysanne. Ainsi déguisée, elle se rendit chez les sept nains.

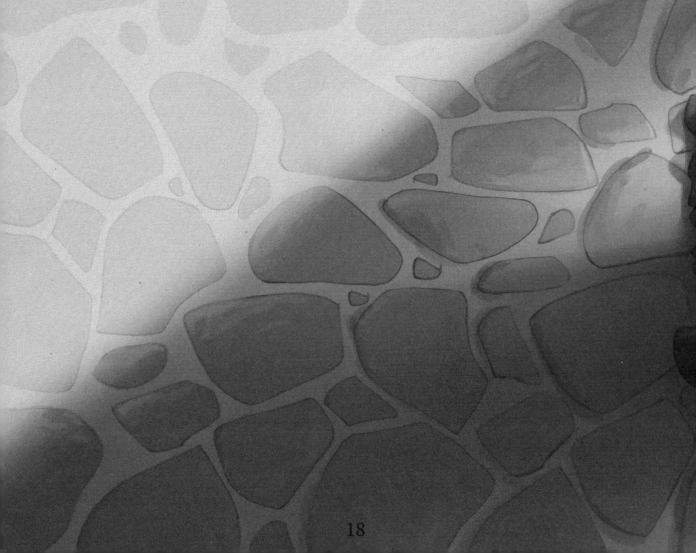

Arrivée devant chez eux, elle frappa à la porte. Blanche-Neige se pencha à la fenêtre et dit :

– Je n'ai le droit de laisser entrer personne ; les sept nains me l'ont interdit.

– Bon ! répondit la vieille femme. Laisse-moi alors t'offrir cette délicieuse pomme.

– Je ne peux pas l'accepter, s'excusa Blanche-Neige.

– Aurais-tu peur d'être empoisonnée ? ricana la vieille. Regarde : je la coupe en deux ; tu mangeras un côté et moi, l'autre.

Blanche-Neige tendit la main et prit sa moitié de pomme. Mais à peine l'eut-elle croquée qu'elle tomba inanimée sur le sol.

Dès son retour au palais, la méchante reine demanda au miroir :

– Miroir, miroir joli, qui est la plus belle du pays ?

Il prononça enfin les mots tant espérés :

– C'est vous, ma reine, la plus belle femme de ce royaume.

En rentrant, les nains trouvèrent Blanche-Neige étendue sur le sol, sans souffle. Ils la soulevèrent, dénouèrent son corsage, la lavèrent avec de l'eau et du vin. Mais rien n'y fit : la douce enfant restait sans vie. Ils s'assirent alors autour d'elle et pleurèrent des jours durant.

Ne voulant se séparer d'elle, ils lui fabriquèrent un cercueil de verre, l'y installèrent et écrivirent dessus son nom en lettres d'or. Ensuite, ils portèrent le cercueil en haut de la montagne et chacun, à tour de rôle, monta la garde auprès de lui.

Le temps passa. Dans son cercueil, Blanche-Neige demeurait
toujours aussi jolie. Un jour, chevauchant à travers la forêt, le prince
d'un royaume voisin s'arrêta à la maison des nains. Il vit le cercueil
au sommet de la montagne.
– Qui est cette jeune fille ? demanda-t-il.
Les nains lui racontèrent son histoire. Ému, le prince ouvrit alors
le cercueil et embrassa Blanche-Neige...

Quelques instants plus tard, elle ouvrit doucement les yeux et se redressa.

– Que m'est-il arrivé ? demanda-t-elle.

Le prince lui raconta ce qui venait de se passer et ajouta :

– Dès que je vous ai vue, je suis tombé éperdument amoureux de vous. Voulez-vous m'épouser ?

Blanche-Neige accepta et partit avec lui. Peu de temps après, leurs noces furent célébrées avec magnificence et splendeur.

La méchante reine fut également invitée au mariage. Après avoir revêtu ses plus beaux atours, elle prit place devant le miroir et demanda :

– Miroir, miroir joli, qui est la plus belle du pays ?

Le miroir répondit :

– Ma reine, vous êtes la plus belle ici, mais Blanche-Neige, la jeune souveraine est mille fois plus jolie.

La méchante femme proféra un affreux juron et eut si peur, si peur qu'elle en mourut.

Les musiciens de Brême

*I*l était une fois un meunier qui possédait un âne. Durant de longues années, l'animal avait inlassablement porté des sacs de grains jusqu'au moulin, mais ses forces commençaient à décliner. Il lui était de plus en plus difficile d'accomplir son dur labeur. Alors son maître songea à s'en débarrasser. Mais l'âne comprit les véritables sentiments du meunier à son égard et décida de s'enfuir.

L'âne se mit en route pour Brême, le bourg le plus proche. Il voulait y finir sa vie tranquillement et rêvait d'embrasser la carrière de musicien. Chemin faisant, il aperçut, couché sous un buisson au bord de la route, un chien de chasse qui gémissait. L'animal paraissait terriblement abattu et semblait attendre une mort prochaine.

– Alors, Taïaut, pourquoi jappes-tu ainsi ? demanda l'âne.

– Ah ! répondit le chien, je suis vieux, je m'alourdis chaque jour un peu plus. Et parce que je ne peux plus chasser, mon maître veut me tuer. Alors, je me suis enfui. Mais comment gagner mon pain maintenant ?

–Je vais à Brême pour y devenir musicien, reprit l'âne. Viens avec moi, nous nous ferons engager dans l'orchestre de la ville. Je jouerai du luth et toi de la timbale.

Le chien accepta avec joie et partit avec lui.

Un peu plus loin, ils rencontrèrent un chat qui paraissait triste, triste comme trois jours de pluie.

– Eh bien! Que t'arrive-t-il, vieux Raminagrobis? s'inquiéta l'âne.

– Comment être joyeux quand il y va de sa vie? répondit le chat. Je deviens vieux, mes dents s'usent et comme je me tiens plus souvent à rêver derrière le poêle qu'à courir après les souris, ma maîtresse a tenté de me noyer. J'ai réussi à me sauver, mais je ne sais où aller!

– Viens à Brême avec nous. Tu y seras musicien, comme nous.
Le chat accepta et les accompagna.

Les trois compagnons arrivèrent devant une ferme. Un coq était perché en haut du portail et chantait de toutes ses forces.

– Tu cries à nous casser les oreilles, grogna l'âne. Que t'arrive-t-il donc ?

– Ce matin j'ai annoncé le beau temps, répondit le coq. Ainsi la fermière a pu blanchir son linge et le faire sécher. Mais, elle est sans pitié : demain, comme tous les dimanches, il vient des invités. Alors elle a demandé à la cuisinière de me faire rôtir pour le déjeuner. Et c'est ce soir qu'on doit me couper le cou ! Alors, je crie à plein gosier tant que je puis encore le faire.

–Eh quoi! Chanteclair, dit l'âne, viens donc avec nous. Nous allons à Brême. Tu as une bonne voix et si nous faisons de la musique ensemble, ce sera magnifique. C'est toujours mieux que de finir dans une assiette !

Le coq accepta ce conseil et tous quatre se remirent en chemin.

La route était trop longue pour atteindre Brême en une seule journée. À la nuit tombée, ils arrivèrent près d'une forêt et ils décidèrent d'y passer la nuit. L'âne et le chien se couchèrent au pied d'un gros arbre, le chat s'installa sur une branche et le coq décida de monter jusqu'à la cime, car il s'y sentait plus en sécurité.

Avant de s'endormir, il jeta un coup d'œil aux quatre coins de l'horizon. Tout à coup, il aperçut une lueur qui brillait dans le lointain. Il réveilla ses compagnons car il lui semblait bien que cela provenait d'une petite chaumière. L'âne dit :

– Levons-nous et allons-y ; ce n'est guère confortable ici et nous n'avons rien à nous mettre sous la dent.

Ils se mirent donc en route en direction de la lumière.

Au bout d'une bonne marche, ils arrivèrent devant une maison brillamment éclairée. C'était le repaire d'une bande de voleurs. L'âne, qui était le plus grand, s'approcha de la fenêtre et regarda à l'intérieur.

– Que vois-tu, Grison ? demanda le coq.

– Il y a là une table couverte de mets et de boissons fort appétissants, et des voleurs assis en train de ripailler, répondit l'âne.

– Cela me donne l'eau à la bouche, murmura le coq.

– Ah ! Si seulement nous pouvions festoyer à leur place ! renchérit l'âne.

Les quatre compères réfléchirent et conçurent un plan pour chasser les voleurs. Aussitôt dit, aussitôt fait : l'âne appuya ses pattes de devant sur le rebord de la fenêtre, le chien sauta sur son dos et le chat par-dessus. Enfin, le coq se percha sur la tête du chat.

Ainsi installés, au signal donné, ils entamèrent un concert tonitruant : d'un seul coup, l'âne se mit à braire, le chien à aboyer, le chat à miauler et le coq à chanter. Puis, tels des diables sortis de leur boîte, ils envahirent la pièce en faisant trembler les vitres. Devant un tel tapage, les voleurs sursautèrent. Le vacarme était tel qu'ils crurent qu'un fantôme s'engouffrait dans la maison. Alors, pris de panique, ils s'enfuirent dans la forêt.

La place était libre ! Les quatre compagnons se mirent à table et dévorèrent ce qui restait du festin. Quand nos musiciens furent rassasiés, ils éteignirent la lumière et chacun se mit en quête de son coin préféré pour se reposer. L'âne se coucha sur le fumier, le chien derrière la porte, le chat près du poêle et le coq se percha au poulailler. Et, comme ils étaient fatigués après cette si longue journée, ils s'endormirent aussitôt.

Dans le bois alentour, les voleurs surveillaient la chaumière. Au milieu de la nuit, ils virent que la lumière avait été éteinte dans la maison et que tout y paraissait tranquille.

– Nous n'aurions pas dû nous laisser mettre à la porte comme ça, regretta leur chef.

Il ordonna à l'un de ses hommes d'aller inspecter la maison. Après en avoir fait le tour à pas feutrés, le bandit entra dans la cuisine et voulut allumer une bougie. Alerté par le bruit, le chat se réveilla. Confondant alors les yeux de l'animal avec des braises, le coquin approcha sa bougie pour l'enflammer.

Fort mécontent d'avoir été dérangé en plein sommeil, le chat cracha et lui sauta au visage, toutes griffes dehors. L'homme fut saisi de terreur. Tout s'enchaîna alors très vite. Tentant de se sauver par la porte de derrière, le voleur buta sur le chien, qui bondit et lui mordit les mollets. Arrivé dehors, le voleur s'élança à travers la cour. Mais, alors qu'il passait à proximité du tas de fumier, l'âne lui expédia un magistral coup de sabot. Enfin, et pour couronner le tout, le coq poussa du haut de son perchoir un retentissant « Cocorico ! »

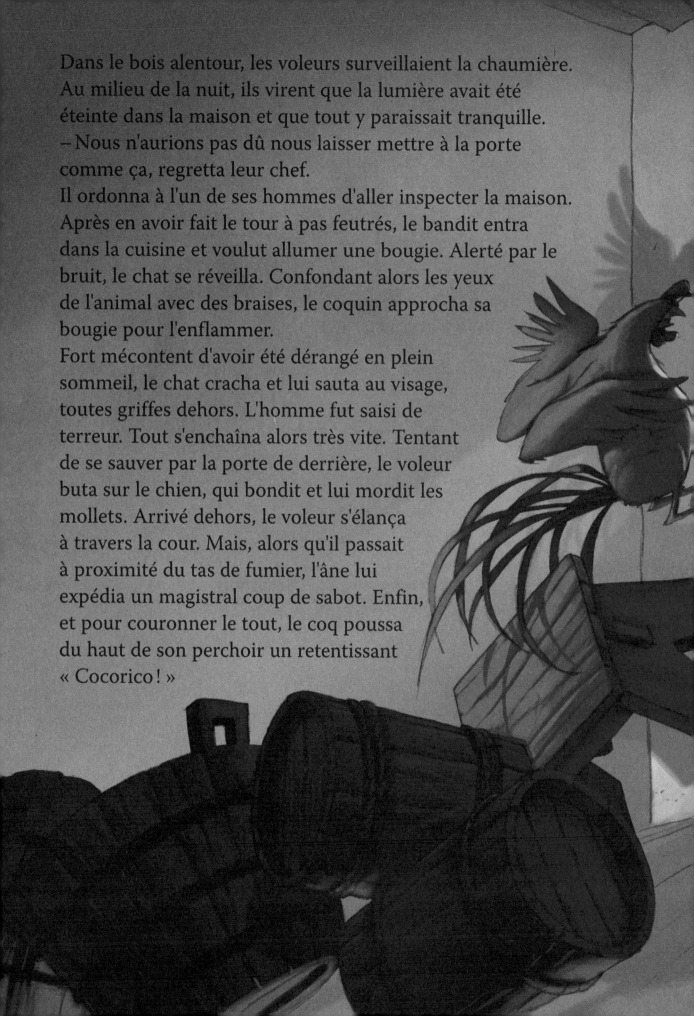

Épouvanté, le brigand prit ses jambes à son cou. De retour auprès de ses comparses, il leur fit le récit suivant:

– Quand je suis entré dans la maison, une affreuse sorcière a craché sur moi et m'a griffé le visage de ses longs doigts. Alors que je m'enfuyais par la porte de derrière, un homme m'a blessé aux jambes avec un couteau. Dans la cour, un monstre noir m'a frappé avec une massue de bois. Il y avait même, sur le toit, un juge de paix qui criait: «Qu'on m'amène le coquin!» J'ai cru ne jamais pouvoir m'échapper!

À partir de ce moment-là, les voleurs n'osèrent plus retourner à la maison. Quant aux quatre musiciens de Brême, ils s'y installèrent et y coulèrent de longs jours heureux.

Raiponce

*I*l était une fois un homme et une femme qui vivaient dans une petite maison aux abords d'un village. Depuis longtemps, ils désiraient un enfant, mais ils n'avaient pas encore pu goûter à ce bonheur. Alors, quand la jeune femme annonça à son mari qu'elle était enceinte, ils pensèrent que le bon Dieu avait exaucé leur rêve le plus cher.

À l'arrière de leur maison, une petite fenêtre donnait sur un magnifique jardin dans lequel poussaient les plantes et les fleurs les plus belles qui soient. Mais ce jardin était entouré d'une clôture très haute, car il appartenait à une sorcière dotée d'un grand pouvoir et que tout le monde craignait.

Un jour, alors que la jeune femme admirait le jardin par sa fenêtre, elle vit un parterre de superbes raiponces. Leurs feuilles étaient si vertes et si fraîches que l'eau lui monta à la bouche. « Ces raiponces ont l'air si appétissantes ! Si seulement je pouvais en manger quelques-unes en salade ! » Mais, comme elle savait qu'elle ne pourrait pas les cueillir, elle devint triste au point d'en perdre l'appétit. Voyant sa femme maigrir et dépérir, le mari s'inquiéta et voulut connaître la raison de sa mélancolie :
– Ma mie, quel est ce mal qui te ronge ?

– Ah! lui répondit-elle, je vais mourir si je ne peux pas manger des raiponces du jardin d'à côté!

Le mari, qui aimait fort son épouse, songea: «Plutôt que de la laisser mourir, j'irai lui en chercher, quoi qu'il puisse m'en coûter!»

Le jour même, à la tombée de la nuit, il escalada le mur du jardin de la sorcière, y cueillit une poignée de raiponces et les rapporta à sa femme. Elle s'en prépara immédiatement une salade qu'elle dévora avec gourmandise.

Malheureusement, cela lui avait paru si bon que le lendemain, au lieu d'être calmée, son envie avait triplé. Elle supplia son mari de retourner encore une fois dans le jardin. Il attendit alors de nouveau le crépuscule pour se glisser de l'autre côté du mur. Mais, arrivé au pied de la palissade, il se figea d'effroi : la sorcière était devant lui !

– Quelle audace de t'introduire dans mon jardin pour voler mes raiponces! gronda-t-elle. Tu vas voir ce qu'il va t'en coûter!

– Pitié, supplia-t-il, ne vous fâchez point. Ma femme est enceinte. Elle a vu vos raiponces par notre fenêtre, et a été prise d'une telle envie d'en manger qu'elle en mourra si je ne lui en rapporte pas.

Faisant taire sa fureur, la sorcière lui répondit:

– Si ce que tu me dis est vrai, alors j'accepte de te donner toutes les raiponces que tu voudras. Seulement, en échange, je veux que tu me donnes l'enfant que ta femme mettra au monde. Ne t'inquiète pas, je m'en occuperai comme si c'était le mien.

Terrifié, le mari accepta sans discuter.

Quelques semaines plus tard, quand naquit une petite fille, la sorcière vint aussitôt réclamer son dû. Elle emporta l'enfant avec elle et lui donna le prénom de Raiponce.

Raiponce grandit et devint une très jolie fillette. Elle avait de longs cheveux si soyeux qu'on aurait dit des fils d'or. Lorsqu'elle eut douze ans, la sorcière l'enferma au beau milieu de la forêt dans une tour sans escalier ni porte, dont la seule ouverture était située à cinquante coudées au-dessus du sol. Pour y entrer, la sorcière criait sous la fenêtre : « Raiponce, Raiponce, descends-moi tes cheveux. » Raiponce défaisait alors sa coiffure, attachait le haut de sa natte à un crochet et la laissait se dérouler telle une corde, si bien que la sorcière pouvait s'y hisser.

Quelques années s'écoulèrent ainsi. Pour tromper son ennui, Raiponce passait ses journées à chanter. Un jour, chevauchant dans la forêt, un prince s'approcha de la tour et entendit sa voix si mélodieuse. Il voulut alors la rencontrer, mais tournant autour de la tour, il n'en trouva pas la porte. Dépité, il rentra chez lui, mais le chant l'avait tellement ému, qu'il ne se passait pas un jour sans qu'il revînt dans la forêt pour l'écouter.

C'est donc caché derrière un arbre qu'il vit un jour arriver la sorcière. Il l'entendit ordonner :

– Raiponce, Raiponce, descends-moi tes cheveux.

Alors, comme à son habitude, Raiponce déroula sa natte, et la sorcière grimpa.

« Voilà un escalier bien original, pensa le prince, il va falloir que je tente ma chance, moi aussi. »

Le lendemain, quand il commença à faire sombre, il s'approcha de la tour et appela :

– Raiponce, Raiponce, descends-moi tes cheveux.

La natte se déroula aussitôt et le fils du roi monta. Raiponce prit peur en voyant le jeune homme entrer chez elle. Il se mit alors à lui parler doucement, à lui raconter combien son cœur avait été touché par son chant, et que depuis il n'avait eu de cesse de la rencontrer. Raiponce fut tout de suite séduite par tant de charme et de gentillesse, et quand le prince lui demanda de l'épouser, elle accepta sans hésiter.

Mais elle ajouta aussitôt :
— Je voudrais bien partir avec toi, mais je ne peux pas
descendre ! À chacune de tes visites, tu m'apporteras un
cordon de soie. J'en ferai une échelle et, quand elle sera finie, tu
m'emporteras sur ton cheval.
Ainsi, il revint la voir tous les soirs. La sorcière n'eût rien
deviné si, un jour, Raiponce ne s'était trahie en lui disant :
— Marraine, comment se fait-il que vous soyez si lourde à
monter, alors que le fils du roi, lui, est en haut en un clin d'œil ?
— Ah ! Ingrate ! Qu'est-ce que j'entends ? s'exclama la sorcière.
Moi qui croyais t'avoir isolée du monde entier ! Tu m'as
trompée !
Prise de fureur, elle empoigna les beaux cheveux de Raiponce,
attrapa des ciseaux, coupa la longue natte et la suspendit au
crochet de la fenêtre. Mais, estimant sa vengeance encore trop
légère, elle emmena Raiponce dans une cabane à des lieues de
la tour et l'y abandonna.

Elle revint ensuite à la tour. Ce soir-là, quand le fils du roi appela Raiponce, la sorcière déroula la natte. Le prince y monta, mais trouva la vieille femme qui le fixait d'un regard impitoyable.

– Ha, ha! ricana-t-elle, tu viens chercher la dame de ton cœur, mais le bel oiseau n'est plus au nid, le chat l'a emporté.

Et maintenant, il va te crever les yeux. Pour toi, Raiponce est perdue, tu ne la verras jamais plus!

Désespéré et effrayé, le fils du roi sauta par la fenêtre, pensant échapper à son triste sort. Malencontreusement il se creva les yeux en tombant au milieu des épines.

Désormais aveugle, il se perdit dans la forêt, se nourrissant de fruits sauvages et de racines, pleurant et se lamentant sans cesse sur la perte de sa bien-aimée. Le malheureux erra ainsi pendant plusieurs années, jusqu'au jour où ses pas tâtonnants l'emmenèrent aux abords de la cabane où Raiponce vivait misérablement avec des jumeaux qu'elle avait mis au monde.

Guidé par une voix qui lui paraissait familière, il s'avança vers elle. Raiponce le reconnut aussitôt et lui sauta au cou en pleurant de joie. Deux de ses larmes ayant coulé sur ses yeux, le prince recouvra immédiatement la vue. Il ramena alors sa bien-aimée et ses enfants dans son royaume, où ils furent accueillis avec des effusions de joie. À partir de ce jour, ils vécurent heureux pendant de très, très longues années.

Le malin petit tailleur

Par un beau matin d'été, un petit tailleur cousait assis à sa fenêtre. Il était de fort bonne humeur. Aussi, quand une paysanne passa dans la rue pour vendre ses confitures, il l'appela :
– Par ici ! Donnez-m'en un pot, s'il vous plaît.
Content de son achat, il coupa une grande tranche de pain et l'en badigeonna. Mais, n'ayant pas terminé son travail, il posa la tartine à côté de lui et continua à coudre. Attirées par la bonne odeur qui commençait à se répandre dans la chambre, les mouches qui recouvraient les murs se précipitèrent vers la tartine.

mouches ne l'entendaient pas ainsi. Ne se laissant pas intimider, elles revinrent plus nombreuses encore.

Le petit tailleur sentit la moutarde lui monter au nez. Il attrapa une règle et leur en assena un grand coup. Découvrant ses victimes, il compta sur le sol pas moins de sept mouches, raides mortes. « Tu es un fameux gaillard, se dit-il en admirant sa vaillance. Il faut que toute la ville le sache. »
Alors, en toute hâte, il confectionna une ceinture et broda dessus en lettres capitales: « SEPT D'UN COUP ».

Mais plus il repensait à ce qu'il venait d'accomplir, plus

Son chemin le conduisit dans la montagne. Arrivé sur le plus haut sommet, il rencontra un géant qui regardait tranquillement le paysage.

Le petit tailleur s'approcha bravement de lui :

— Bonjour, camarade ! Je pars conquérir le monde ! Ça te plairait de venir avec moi ?

Le géant le toisa d'un air méprisant et ricana :

— Toi ? Tu n'es qu'un microbe !

— Détrompe-toi, répondit le tailleur en dégrafant son manteau et en lui montrant sa ceinture. Regarde toi-même !

Le géant lut alors : « SEPT D'UN COUP ». Pensant qu'il s'agissait là d'hommes que le tailleur avait tués, il le regarda avec un peu plus de respect. Voulant cependant éprouver sa force, il le conduisit auprès d'un énorme chêne qui était tombé à terre.

— Si tu es si fort, aide-moi à sortir cet arbre de la forêt.

— Volontiers, répliqua le petit homme. Occupe-toi du tronc, je porterai les branches et la ramure.

Le géant prit le tronc sur son épaule. Mais, ne pouvant se retourner, il ne vit pas le malicieux tailleur grimper dans le feuillage et s'asseoir sur une branche, le laissant porter l'arbre tout entier. Au bout d'un moment, n'en pouvant plus, le géant s'écria :

— Je suis épuisé, arrêtons-nous un moment.

Le tailleur sauta rapidement au bas de la branche et se moqua du géant :

— Quoi ? Tu es si grand et tu ne peux même pas porter un arbre !

Vexé, le colosse lui proposa alors :

— J'habite tout près d'ici dans une caverne avec un autre géant. Toi qui es si vaillant, viens y passer la nuit avec nous.

Le petit tailleur accepta et l'accompagna. Arrivés devant la grotte, ils aperçurent son deuxième occupant assis auprès d'un feu. Il tenait entre ses mains un énorme rôti qu'il s'apprêtait à dévorer. Les deux géants partagèrent leur repas avec leur convive, puis lui indiquèrent le lit sur lequel il pourrait se reposer. Mais, le trouvant trop grand, le tailleur ne s'y coucha pas et, sans rien dire, préféra s'allonger dans un coin.

À minuit, estimant que leur invité dormait profondément, l'un des deux géants prit une barre de fer et, d'un seul coup, brisa le lit, croyant ainsi tuer ce petit homme effronté.

Au matin, les deux compères partirent dans la forêt, en oubliant totalement le tailleur. Soudain, ils le virent qui s'avançait vers eux tout joyeux et plein d'assurance ! Ils prirent peur et, craignant pour leur vie, s'enfuirent en toute hâte.

Le petit tailleur reprit sa route. Au bout d'une longue marche, il arriva dans la cour d'un palais. Fatigué, il se coucha sur une botte de paille et s'endormit. Pendant son sommeil, des gens s'approchèrent de lui et lurent l'inscription brodée sur sa ceinture.

– « SEPT D'UN COUP ! » s'exclamèrent-ils. Ce doit être un puissant seigneur !

Ils rapportèrent au roi leur rencontre. Le roi fut tellement impressionné par tant de bravoure qu'il le reçut avec tous les honneurs, lui proposa d'entrer dans son armée et l'installa même dans une splendide demeure.

Mais les militaires qui servaient le roi depuis fort longtemps devinrent vite jaloux de cet inconnu. Ils demandèrent à leur souverain de renvoyer le nouveau venu. Regrettant d'avoir agi sans réfléchir, le roi eut cependant peur de lui donner son congé, car il craignait sa vengeance.

Après avoir longtemps réfléchi, il eut une idée. Il convoqua le petit tailleur :

– Dans la forêt, deux géants causent de gros ravages. Ils pillent, tuent et mettent la campagne à feu et à sang. Prends quelques hommes avec toi et, si tu arrives à les vaincre, je te donnerai ma fille unique en mariage ainsi que la moitié de mon royaume.

« Voilà une tâche qui convient à un homme comme moi », songea le petit tailleur avec fierté.

Il accepta cette mission, certain de venir à bout des deux géants.

Il partit donc, à la tête d'une petite troupe de soldats.

Quand ils arrivèrent à l'orée de la forêt, le courageux petit tailleur dit à ses compagnons :

– Attendez-moi ici, je préfère m'acquitter seul de ce travail.

Armé de sa seule épée, il s'enfonça prudemment dans la forêt.

Au bout d'un moment, il aperçut les géants, ceux-là même, qui avaient essayé de le tuer dans leur caverne. Ils dormaient sous un arbre et ronflaient si fort que les branches au-dessus d'eux semblaient agitées par une tempête.

Le petit tailleur remplit ses poches de cailloux, grimpa dans l'arbre et s'installa sur une branche juste au-dessus des deux dormeurs.

Alors, il fit tomber sur la poitrine du premier quelques pierres.

Le géant se réveilla et secoua son compagnon :

– Pourquoi me frappes-tu ?

– Je n'ai rien fait, gronda l'autre, rendors-toi.

Le petit tailleur jeta cette fois des cailloux sur le second géant, qui se fâcha à son tour.

Ils commencèrent à se disputer. Leur colère était telle qu'ils déracinèrent même des arbres pour se frapper l'un l'autre.

Au bout d'un rude combat, ils tombèrent tous deux morts sur le sol.

Le petit tailleur descendit de son perchoir. Avec son épée, il transperça à plusieurs reprises la poitrine des deux adversaires.
De retour auprès des soldats, il leur annonça sa victoire :
– En voilà deux qui ne nous embêteront plus !
Les soldats voulurent s'assurer par eux-mêmes de la mort des deux colosses. En découvrant le champ de bataille, ils furent alors convaincus de la bravoure de ce jeune guerrier.
Quand ils revinrent au palais, le roi dut à contrecœur tenir sa promesse. Le tailleur épousa la princesse et reçut pour dot la moitié du royaume.

Hansel et Gretel

Il était une fois un pauvre bûcheron qui vivait à l'orée d'un bois avec sa femme et ses deux enfants. Le garçon s'appelait Hansel et la fille Gretel. N'ayant pas beaucoup d'argent, leurs repas n'étaient guère copieux. Ils n'avaient droit chaque jour qu'à un maigre morceau de pain.

Un matin, ils partirent tous ensemble dans la forêt.

Après une bonne heure de marche, le père s'arrêta et dit à ses enfants :

– Nous voici arrivés. Maintenant, les enfants, nous allons ramasser du bois ! Je vais aussi allumer un feu pour que vous n'ayez pas froid.

Hansel et Gretel amassèrent des tas de brindilles, puis s'assirent auprès du feu.

Au bout d'un moment, leur mère vint près d'eux :
— Restez ici. Avec votre père, nous allons un peu plus loin couper du bois et, ce soir, quand nous aurons fini, nous viendrons vous chercher. Si vous vous sentez fatigués, vous pouvez dormir un peu.

Restés seuls, Hansel et Gretel aperçurent sur une branche un joli oiseau, blanc comme la neige. Son chant était si délicat que les enfants en furent émerveillés. Quand il eut fini de siffler, il déploya ses ailes et s'envola devant eux. Alors, toujours sous le charme, Hansel et Gretel le suivirent jusqu'à une petite maison sur laquelle le bel oiseau blanc se posa. Là, les enfants découvrirent une chaumière au jardin rempli de friandises. Les murs de la maison étaient en pain et recouverts de gâteaux et les fenêtres étaient en sucre. N'ayant pas mangé depuis le matin, tous deux en eurent l'eau à la bouche.

– Quelle aubaine ! dit Hansel, nous allons nous régaler. Et si je goûtais une tuile, elles ont l'air si bonnes !

Hansel grimpa sur le toit et en arracha un petit morceau. Gretel, de son côté, se mit à lécher les carreaux. Quel délice ! Tout à coup, une voix s'éleva de l'intérieur de la chaumière :

– Mais qui donc chatouille ma maison ?

Les enfants répondirent :

– Personne, ce n'est que le vent !

Et ils continuèrent leur festin.

Hansel, qui trouvait le toit fort à son goût, en découpa un gros morceau, le fit glisser à terre et descendit à son tour. Gretel découpa une vitre entière, s'assit sur le sol et se mit à la manger. Tout à coup, la porte de la chaumière s'ouvrit et une femme, vieille comme les pierres, s'appuyant sur une canne, sortit de la maison. Hansel et Gretel eurent si peur qu'ils laissèrent tomber tout ce qu'ils tenaient dans leurs mains. La vieille secoua la tête et dit :

– Eh bien, chers enfants, qui vous a conduits ici ? Entrez, venez chez moi ! Il ne vous sera fait aucun mal.

Elle les agrippa tous les deux et les fit entrer dans la maisonnette. Elle leur servit un bon repas, du lait et des beignets avec du sucre, des pommes et des noix. Elle prépara ensuite deux petits lits. Hansel et Gretel s'y couchèrent. Ils se croyaient au paradis.

En réalité, cette femme était une méchante sorcière qui adorait croquer les enfants. Elle se servait de sa maison toute en sucre pour les attirer. Quand elle en prenait un, elle le faisait cuire et le mangeait. Pour elle, c'était alors un grand jour de fête.
À l'aube, avant que les enfants ne se soient réveillés, elle se leva. Quand elle les vit qui reposaient si calmement, avec leurs bonnes joues toutes roses, elle murmura:
– Quel bon repas je vais faire!

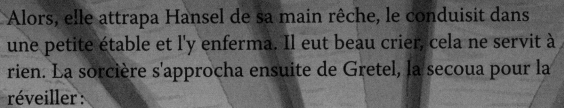

Alors, elle attrapa Hansel de sa main rêche, le conduisit dans une petite étable et l'y enferma. Il eut beau crier, cela ne servit à rien. La sorcière s'approcha ensuite de Gretel, la secoua pour la réveiller :

– Debout, paresseuse ! Va chercher de l'eau et prépare quelque chose de bon à manger pour ton frère. Il est enfermé à l'étable et il faut qu'il engraisse. Quand il sera à point, je le mangerai.

Gretel se mit à pleurer, mais ses larmes n'attendrirent pas la sorcière.

Elle fut obligée de faire ce que lui demandait l'ogresse.

Tous les matins, la sorcière se rendait à l'écurie et exigeait :
– Hansel, tends ton doigt, que je voie si tu es assez gras.
Mais la sorcière avait de très mauvais yeux et ne voyait pas bien clair. Hansel, qui le savait, lui tendait un petit os à la place de son doigt.

Ne se rendant pas compte de la supercherie, la vieille femme s'étonnait qu'il n'engraissât point.

Quatre semaines passèrent ainsi, et l'enfant paraissait toujours aussi maigre. Un matin, l'ogresse perdit patience et décida de ne pas attendre plus longtemps.

– Holà ! Gretel, cria-t-elle, dépêche-toi d'apporter de l'eau ! Que ton frère soit gras ou maigre, demain je le mangerai.

Désespérée, la pauvre fillette se mit à pleurer.

– Cesse de te lamenter ! rétorqua la vieille ; cela ne me fera pas changer d'avis !

Le lendemain matin, de bonne heure, Gretel fut chargée de remplir d'eau la grande marmite et d'allumer le feu.

– Nous allons d'abord faire une pâte, déclara la sorcière. Pour cela, j'ai déjà fait chauffer le four et préparé ce qu'il faut.

Alors, elle poussa la pauvre Gretel vers le four, d'où sortaient de grandes flammes.

– Faufile-toi dedans ! ordonna-t-elle, et vois s'il est assez chaud.

Elle avait en réalité l'intention de l'y enfermer pour la faire rôtir et la manger, elle aussi ! Mais Gretel devina son projet et dit d'une toute petite voix :

– Je ne sais pas comment faire pour grimper dans ce four.

– Petite oie, se fâcha la sorcière, c'est très simple. L'ouverture est suffisamment grande pour que je puisse y entrer moi-même. Regarde donc !

Et elle y passa la tête. Alors Gretel la poussa vivement dans le four, claqua la porte et mit le verrou. L'ogresse se mit à hurler épouvantablement. Mais Gretel s'en alla, abandonnant l'épouvantable sorcière à son triste sort.

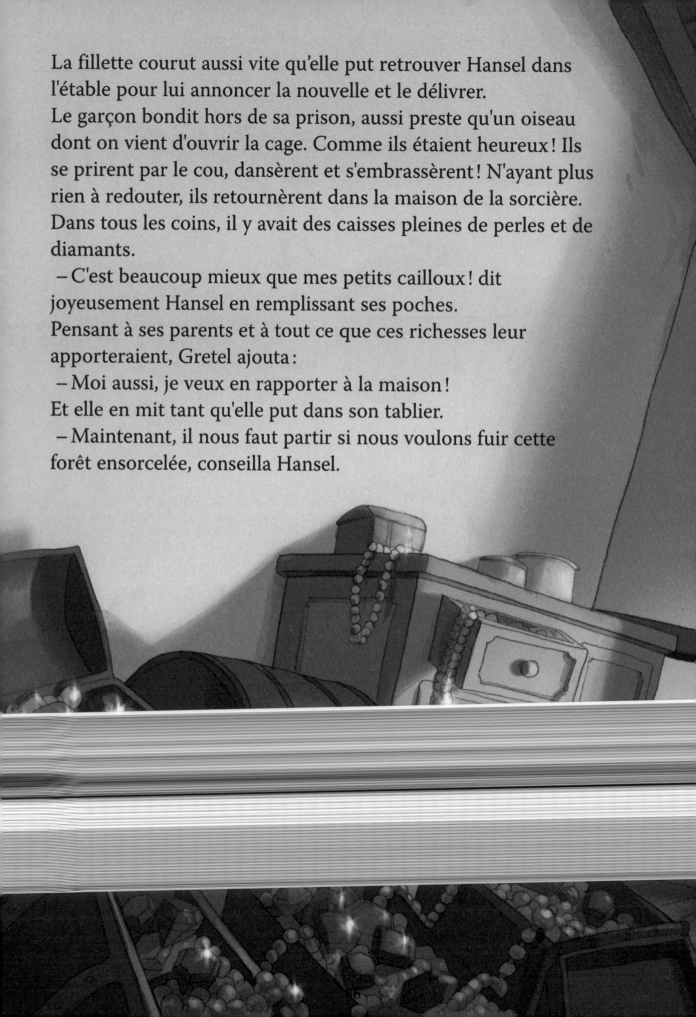

La fillette courut aussi vite qu'elle put retrouver Hansel dans l'étable pour lui annoncer la nouvelle et le délivrer.

Le garçon bondit hors de sa prison, aussi preste qu'un oiseau dont on vient d'ouvrir la cage. Comme ils étaient heureux! Ils se prirent par le cou, dansèrent et s'embrassèrent! N'ayant plus rien à redouter, ils retournèrent dans la maison de la sorcière. Dans tous les coins, il y avait des caisses pleines de perles et de diamants.

– C'est beaucoup mieux que mes petits cailloux! dit joyeusement Hansel en remplissant ses poches.

Pensant à ses parents et à tout ce que ces richesses leur apporteraient, Gretel ajouta:

– Moi aussi, je veux en rapporter à la maison!

Et elle en mit tant qu'elle put dans son tablier.

– Maintenant, il nous faut partir si nous voulons fuir cette forêt ensorcelée, conseilla Hansel.

Au bout de quelques heures de marche, ils atteignirent les bords d'une grande rivière.

— Chargés comme nous sommes, nous n'arriverons jamais à la traverser, se lamenta Hansel.

— Regarde, voici un canard blanc ! dit Gretel. Si je lui demande, je suis sûre qu'il nous aidera.

Aimablement, le canard accepta et les fit traverser l'un après l'autre. Une fois sur l'autre rive, ils reprirent leur chemin. Au fur et à mesure de leur avancée, la forêt leur paraissait familière. Finalement, ils aperçurent au loin le toit de leur maison. Ils étaient rentrés chez eux ! Leurs parents, qui avaient cru ne jamais les revoir, pleurèrent de joie en les voyant se précipiter à leur rencontre. Grâce au butin que les enfants rapportaient, ils ne manquèrent plus de rien et vécurent heureux tous ensemble.

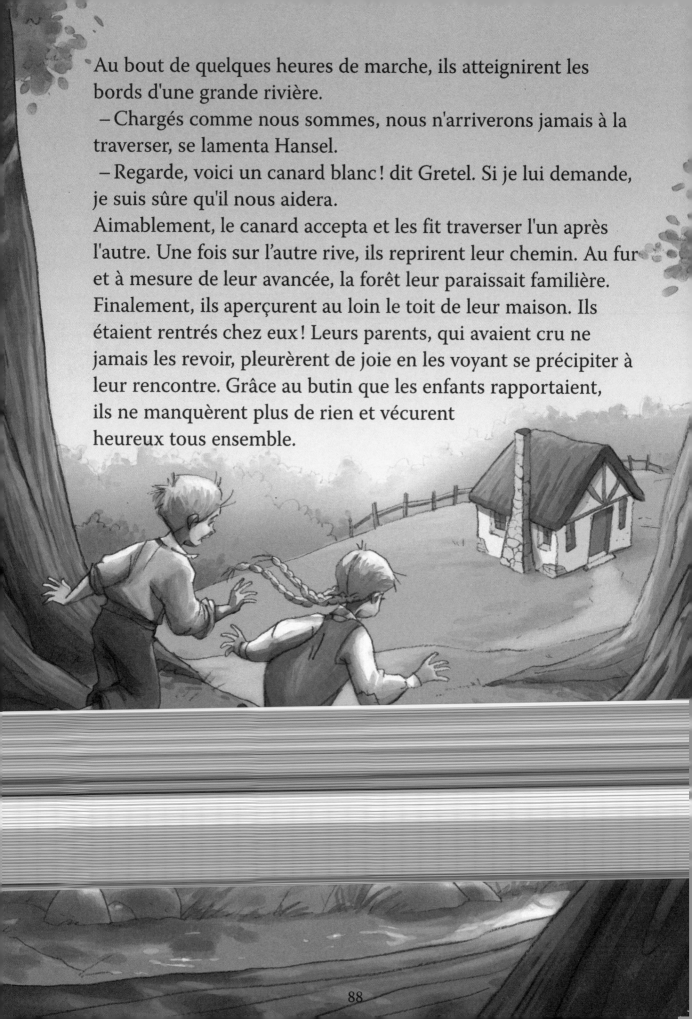

Les contes d'
Andersen

Les habits neufs de l'empereur

*I*l y a très longtemps de cela vivait un empereur qui aimait par-dessus tout être bien habillé, si bien qu'il dépensait tout son argent en nouveaux habits. Rien d'autre ne l'intéressait, et s'il sortait de temps en temps de son palais, c'était uniquement pour montrer les derniers vêtements qu'il venait de s'offrir. Il en possédait tellement qu'il changeait de costume toutes les heures. Nul n'était besoin de le chercher, il passait son temps devant son miroir !

Dans la grande ville où il habitait, la vie était gaie et insouciante. Un jour, deux fripons se prétendant tisserands y firent leur entrée. Ils se présentèrent au palais, affirmant pouvoir tisser une étoffe extraordinaire, la plus belle que l'on pût imaginer : non seulement ses couleurs et son motif étaient exceptionnellement beaux, mais les vêtements qui en étaient confectionnés possédaient l'étonnante propriété d'être invisibles aux yeux des sots et des incompétents. « Quelle aubaine ! se dit l'empereur. Avec de tels vêtements, je pourrais découvrir qui, parmi mes sujets, ne sied pas à ses fonctions et départager les intelligents des imbéciles ! Il me faut cette étoffe sur-le-champ ! »

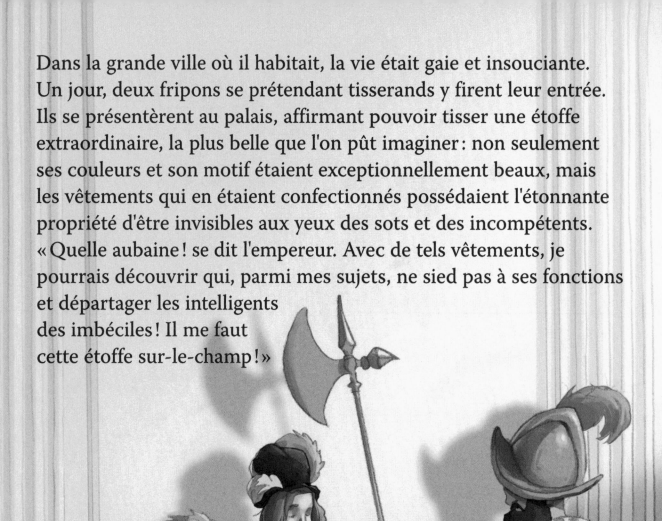

Ayant reçu une avance sur leur travail, les deux gredins installèrent leurs métiers à tisser et se mirent à l'ouvrage. Un drôle d'ouvrage, puisqu'ils ne tissaient aucun fil. Toute la journée, ils faisaient semblant de travailler et restaient sur leurs métiers vides jusqu'à bien tard dans la nuit. Cependant, régulièrement, ils demandaient la soie la plus fine et l'or le plus précieux, qu'ils gardaient précieusement pour eux. L'empereur était impatient de voir cette nouvelle étoffe, mais il était gêné à l'idée que le tissu soit invisible aux yeux des sots. Même s'il estimait qu'il n'avait rien à craindre pour lui-même, il décida de dépêcher quelqu'un d'autre pour juger de l'avancée du travail.

Chacun dans la ville connaissait les qualités exceptionnelles de l'étoffe et tous étaient avides de pouvoir juger de l'intelligence de son voisin.

« Je vais envoyer mon vieux et honnête ministre auprès des tisserands, pensa l'empereur. Il est le plus à même de juger cette étoffe ; son intelligence est reconnue de tous et personne ne fait mieux son travail que lui ! »

Le fidèle ministre se rendit donc dans l'atelier des deux coquins et fut saisi d'effroi.

« Pauvre de moi ! pensa le ministre, ouvrant grand les yeux. Je ne vois rien du tout. » Mais il se garda bien de le dire.

Les deux fripouilles l'invitèrent à s'approcher du métier à tisser et lui demandèrent ce qu'il pensait du si joli motif et des magnifiques couleurs de leur étoffe. Le vieux ministre écarquilla encore plus les yeux, mais il ne voyait toujours rien, puisqu'il n'y avait rien.

«Mon Dieu, pensa-t-il, suis-je donc un sot ? Suis-je si inefficace dans mon travail ? Personne ne doit savoir que je ne peux pas voir l'étoffe ! »

– Eh bien, qu'en dites-vous ? demanda l'un des tisserands.

– Oh, c'est ravissant, tout ce qu'il y a de plus joli ! répondit le vieux mini-stre, en regardant. Quel motif ! Quelles couleurs ! Je suis sûr que tout ceci plaira à l'empereur !

Alors ils évoquèrent les couleurs et discutèrent du motif. Le vieux ministre écoutait attentivement afin de pouvoir à son tour en parler à l'empereur.

Les deux escrocs exigeaient toujours plus d'argent, de soie et d'or pour leur tissage. Mais ils mettaient tout dans leurs poches et rien sur les métiers. Ils continuaient simplement à faire semblant de travailler. L'empereur envoya bientôt un autre honnête fonctionnaire pour savoir quand l'étoffe serait prête. Il arriva à cet homme ce qui était arrivé au ministre : il avait beau regarder, comme il n'y avait rien sur le métier, il ne put rien y voir.

– Cette étoffe est splendide, qu'en pensez-vous ? lui demandèrent les faux tisserands en lui décrivant de superbes motifs imaginaires.
« Je ne suis pas sot, se dit le fonctionnaire. Serait-ce donc que je ne conviens pas à mes fonctions ? Même si cela était vrai, je ne dois pas le laisser paraître ! » Alors, il fit l'éloge de l'étoffe qu'il ne voyait pas. De retour auprès de l'empereur, il vanta lui aussi le travail des deux gredins.

Dans la ville, tout le monde parlait de la magnifique étoffe, et l'empereur voulut sans attendre la voir de ses propres yeux. Accompagné d'une foule de dignitaires, dont le ministre et le fonctionnaire, il trouva les deux fripouilles qui s'affairaient à tisser sans le moindre fil.

– Sire, n'est-ce pas magnifique ? s'exclamèrent les deux fonctionnaires qui étaient déjà venus.

Persuadés que les autres pouvaient voir le tissu, ils poursuivirent :

    – Que Votre Majesté admire ces motifs et l'harmonie de ces couleurs !

« Mais je ne vois rien ! pensa l'empereur. C'est affreux ! Serais-je sot ?
Ne serais-je pas fait pour être empereur ? »

– Magnifique ! Splendide ! Parfait ! dit-il finalement. Toutes mes
félicitations !

Il hocha la tête en signe de satisfaction, et, contemplant le métier
vide, il se garda bien de dire qu'il ne voyait rien. Alors, pour ne pas
être en reste, tous les membres de la suite s'extasièrent à leur tour.
Ils conseillèrent même à l'empereur de se faire confectionner de
nouveaux vêtements dans cette étoffe et de les porter à l'occasion
de la grande fête qui devrait avoir lieu peu de temps après.

« Merveilleux » était le mot que l'on entendait sur toutes les lèvres,
et tous semblaient se réjouir.

L'empereur décora les deux faux artisans d'une croix de chevalier et leur donna le titre de gentilshommes tisserands. La nuit précédant la fête, les coquins restèrent à travailler avec seize chandelles. Tous les gens pouvaient ainsi se rendre compte du mal qu'ils se donnaient pour réaliser les habits de l'empereur. Après avoir fait semblant de retirer l'étoffe du métier, ils fendirent l'air avec de gros ciseaux et cousirent avec des aiguilles sans fil. Au petit matin, ils se rendirent chez l'empereur.

– Majesté, voici votre pantalon, votre veste et votre manteau ! Voyez, c'est aussi léger qu'une toile d'araignée ; on pourrait presque croire qu'on n'a rien sur le corps ! C'est là toute la beauté de ce tissu ! Tous les courtisans présents manifestèrent leur enthousiasme, même s'ils ne voyaient toujours rien.

– Votre Majesté impériale aura-t-elle l'infinie bonté d'ôter ses vêtements que nous puissions lui mettre les nouveaux, là, devant le grand miroir ?
L'empereur se déshabilla et les deux vauriens l'aidèrent à enfiler chacune des pièces de son habit imaginaire et firent même semblant d'y porter quelques retouches. L'empereur se tourna devant le miroir et s'y admira.

– Comme cela vous va bien ! Quels dessins, quelles couleurs ! s'exclamait l'assistance, médusée.

104

— Sire, ceux qui doivent porter le dais au-dessus de Votre Majesté
sont arrivés, intervint le maître des cérémonies.

— Je suis prêt, répondit l'empereur. Ne suis-je pas beau ainsi vêtu ?
Et il se contempla encore une fois devant le miroir, pour bien
montrer qu'il admirait son costume. Les chambellans qui devaient
porter la traîne du manteau de cour tâtonnèrent de leurs mains le
long du parquet, et firent mine de la soulever. Ils suivirent le roi en
feignant de tenir quelque chose dans les airs, car il ne fallait pas que
l'on remarquât qu'ils ne pouvaient rien voir.

L'empereur marcha ainsi à la tête de la procession, et tous ceux qu'il croisait dans la rue ou à leur fenêtre disaient: «Les nouveaux habits de l'empereur sont magnifiques! Ce manteau est de toute beauté, sa traîne s'étale avec splendeur et majesté!» Personne ne voulait laisser paraître qu'il ne voyait rien, puisque cela aurait montré qu'il était idiot ou tout simplement incapable d'assurer ses fonctions. Aucun habit neuf de l'empereur n'avait connu un tel engouement.

– Mais il n'a pas d'habit du tout! cria soudain un petit enfant dans la foule.

– La vérité sort toujours de la bouche des enfants ! dit le père. Et chacun murmura à son voisin les paroles de l'enfant.

Tout à coup, la foule entière se mit à crier : « Mais il n'a pas d'habit du tout ! » L'empereur frissonna, car il lui semblait bien que le peuple avait raison, mais il lui fallait maintenant tenir bon jusqu'à la fin de la procession. Alors, le plus fièrement possible, le cortège poursuivit sa route, et les chambellans continuèrent de porter une traîne qui n'existait pas.

Le vilain petit canard

C'était l'été. En plein soleil, au pied d'un vieux château, une cane avait construit son nid et s'était installée pour couver. Elle commençait à s'impatienter, car elle attendait depuis longtemps. Enfin les œufs craquèrent l'un après l'autre. À chaque « clac clac ! », un petit sortait la tête de sa coquille.

– Coin, coin ! disait la cane en guise de bienvenue.

Et les canetons lui répondaient en s'agitant tant qu'ils pouvaient.

– Êtes-vous tous là enfin ? Non, le plus grand œuf n'est pas encore éclos. Combien de temps ça va-t-il encore durer ? ajouta-t-elle, agacée.

Et elle se recoucha.

— Eh bien! Comment ça va ? dit une vieille cane qui venait en visite.

— Ce dernier œuf met bien du temps à éclore, répondit la cane. Il ne veut pas se percer ; mais les autres sont les plus jolis canetons que j'aie vus.

— Montre-moi cet œuf qui ne veut pas craquer, demanda la vieille. Avec cette taille, ce doit être un œuf de dinde, tu peux m'en croire! Tu devrais le laisser et enseigner la nage aux autres enfants.

— Je vais attendre encore un peu, il y a si longtemps que j'y suis. Cela ne devrait plus tarder maintenant.

— Comme tu voudras! répliqua la vieille cane.

Et elle s'en alla.

Enfin le gros œuf creva.

— Pip! Pip! cria le petit en sortant.

La cane le regarda avec étonnement: il était si grand et si laid! «Voilà un caneton terriblement gros, se dit-elle. Il ne ressemble à aucun autre ; ce n'est tout de même pas un dindonneau. On verra bien quand il devra aller à l'eau, s'il le faut, je l'y pousserai à coups de patte.»

Le lendemain, la mère cane vint au bord de l'eau avec toute sa famille. Plouf! Elle sauta dans l'eau et appela ses petits.

Les canetons plongèrent l'un après l'autre. L'eau leur passait par-dessus la tête, mais ils revenaient tout de suite à la surface et barbotaient gentiment ; leurs pattes s'agitaient comme il faut. Même le gros caneton gris si laid nageait avec les autres.

– Non, ce n'est pas un dindon, confirma la cane. Regardez comme il sait bien se servir de ses pattes, et comme il se tient droit! C'est bien un petit à moi! Finalement, à bien le regarder, il n'est pas si laid! Coin, coin! Venez avec moi, que je vous présente aux autres canards, mais tenez-vous toujours à mes côtés, qu'on ne vous marche pas sur les pattes et, surtout, méfiez-vous du chat.

– Jouez des pattes, ordonna la mère. Tâchez de vous dépêcher, et vous courberez le cou devant la vieille cane, là-bas ; c'est elle qui a le plus haut rang de nous toutes ici. Allons, ne vous mettez pas dans mes pattes, un caneton bien élevé marche en écartant les pattes, comme père et mère. C'est bien ! Maintenant, inclinez-vous et dites : « coin, coin ! »

Et les petits obéissaient. Les autres canes les regardaient et disaient à voix haute :

– Et une famille de plus ! Comme si nous n'étions pas assez nombreux ! Mais, regardez-moi ce caneton ! Celui-là, nous n'en voulons pas !

Et aussitôt une cane vint lui mordre le cou.

– Laisse-le tranquille, dit la mère, il ne fait rien à personne.

– Non, dit la cane qui avait mordu, mais il est trop grand et trop cocasse, il mérite une correction.

– Vous avez de beaux enfants, la mère, dit la vieille cane ornée d'un ruban à la patte. À l'exception de celui-ci, bien entendu ; si seulement vous pouviez le refaire !

– Ce n'est pas possible, répondit la mère cane. Il n'est certes pas beau, mais il est très sage, et il nage aussi joliment que les autres. Et même, j'ajouterais que, selon moi, il embellira avec le temps. Il est resté trop longtemps dans son œuf, c'est pourquoi il n'a pas eu la taille convenable.

Et elle lui lissa son plumage.

— D'ailleurs c'est un garçon, ajouta-t-elle, ça n'a donc pas autant d'importance. Je crois qu'il sera vigoureux et qu'il fera son chemin.

— Vos autres petits sont gentils, conclut la vieille, soyez donc ici comme chez vous !

Mais le vilain caneton était la risée de toute la cour des canards.

Les jours suivants, le pauvre caneton fut pourchassé par tout les volatiles. Même ses frères et sœurs étaient méchants avec lui. Alors il s'envola par-dessus la haie. Les petits oiseaux des buissons, effrayés, s'envolèrent. « C'est parce que je suis très laid », pensa-t-il, et, fermant les yeux, il s'éloigna en courant. Enfin il parvint au grand marais habité par les canards sauvages. Il y passa toute la nuit, fatigué et très triste.

Le lendemain, il reprit son chemin et aperçut une pauvre petite cabane de paysan. Elle était si misérable qu'elle semblait à tout moment vouloir s'effondrer. Une tempête venait de se lever. Très rapidement, les vents se firent si forts que le caneton dut s'asseoir sur sa queue pour y résister. S'approchant au plus près de la cabane, il remarqua que la porte avait perdu un de ses gonds, de sorte qu'elle était accrochée de guingois, et que, par la fente, il pouvait se faufiler à l'intérieur.

C'était la demeure d'une vieille femme qui vivait avec un chat et une poule. Le chat, Fiston, passait ses journées à faire le gros dos et à ronronner. La poule, qu'elle appelait Kykkeli, lui donnait chaque jour les œufs dont elle avait besoin. Si bien que la femme les aimait tous les deux comme ses propres enfants.

Au matin, on remarqua tout de suite l'intrus : le chat se mit à ronronner et la poule à glousser.

– Quelle aubaine, dit la femme qui ne voyait plus très clair, j'aurai ainsi des œufs de cane. J'espère seulement que ce n'est pas un canard !

Et le caneton fut admis dans la maisonnée, mais aucun œuf ne vint.

Au bout de trois semaines, le caneton n'y tint plus, il était de
mauvaise humeur. Il pensait au grand air et à l'éclat du soleil. Le
désir de nager sur l'eau le taraudait, et il finit par en parler à la
poule.

 — Qu'est-ce qui te prend ? demanda-t-elle. C'est parce que tu n'as
rien à faire qu'il te vient des lubies pareilles. Ponds ou ronronne, et
ça te passera !

 — Vous ne me comprenez pas, dit le caneton. Je crois que je vais
m'en aller dans le vaste monde.

 — Eh bien, va-t'en ! lui répondit la poule.

Et le caneton partit. Il nagea sur l'eau, il plongea, mais tous les
animaux le dédaignaient à cause de sa laideur.

L'automne arriva. Un soir, dans la lumière d'un superbe coucher de soleil survint toute une volée de grands oiseaux. Jamais le caneton n'en avait vu d'aussi ravissants : leur plumage était d'une blancheur éclatante et leur cou long et flexible. C'étaient des cygnes. Soudain, ils poussèrent un cri très singulier, déployèrent leurs grandes ailes magnifiques, et s'envolèrent très haut vers des contrées plus chaudes. Le vilain petit caneton éprouva une impression étrange : il se mit à faire des ronds dans l'eau, tendit le cou vers ces oiseaux et poussa un cri si fort et si bizarre qu'il se fit peur à lui-même. Il ne connaissait pas le nom de ces oiseaux, ni ne savait où ils allaient, mais il les aimait comme jamais il n'avait aimé personne. Il n'en était pas du tout jaloux. Comment aurait-il pu avoir l'idée de souhaiter une telle grâce ? Il aurait simplement été heureux de partir avec eux.

L'hiver passa et les beaux jours du printemps revinrent. Le caneton déployait maintenant ses ailes plus largement qu'autrefois.

Un matin, sortant de derrière les roseaux, s'avancèrent trois beaux cygnes qui battaient des ailes et nageaient légèrement. Il reconnut les magnifiques oiseaux et fut pris d'une étrange tristesse. Il nagea vers les superbes cygnes et ceux-ci, l'apercevant, vinrent aussi à sa rencontre.

En signe d'admiration, il pencha la tête et vit son image qui se reflétait dans l'eau claire. Il en fut tout émerveillé: ce n'était plus celle d'un oiseau gris tout gauche, laid et vilain, mais celle d'un cygne majestueux.

Le caneton en était tout ému. Une vie nouvelle s'offrait à lui ! Peu importe qu'on soit né dans la cour des canards, si l'on est sorti d'un œuf de cygne. Il ne regrettait pas toute la misère et les tracas qu'il avait subis ; il appréciait d'autant mieux son bonheur, et la splendeur qui l'accueillait. Il venait de retrouver sa famille et les grands cygnes qui nageaient autour de lui le caressaient avec leurs becs.

À ce moment-là, des petits enfants arrivèrent au bord de l'eau et jetèrent du pain et du grain aux cygnes. Le plus jeune s'écria :

– Regardez ! Il y en a un nouveau !

Les enfants étaient ravis. Ils battaient des mains et dansaient sur la berge. Ensuite, ils coururent chercher leurs parents et jetèrent dans l'eau du pain et de la galette. Tout le monde s'extasiait :

– C'est le nouveau le plus beau ! Il est si jeune et si joli !

Les vieux cygnes aussi le saluèrent. Tout confus, notre héros cacha sa tête sous son aile, il ne savait plus où il en était ! Il était trop heureux, mais n'éprouvait nul orgueil. Il n'y avait pas si longtemps encore, il était détesté et pourchassé. Jamais il n'aurait pu imaginer pareil bonheur !

La petite sirène

*A*u beau milieu de la mer, à l'endroit où l'eau est bleue et transparente comme le cristal, et si profonde qu'on ne peut y jeter une ancre, s'élève le château du roi de la Mer. Veuf depuis de longues années, il élève seul ses six filles, aidé de sa vieille maman qui s'occupe de l'éducation des petites princesses. La plus jeune était la plus belle de toutes. Sa peau était fine et transparente, et ses yeux bleus comme l'océan profond... Mais, comme ses sœurs, elle n'avait pas de pieds : son corps se terminait par une queue de poisson.

La petite sirène et ses sœurs adoraient écouter leur grand-mère leur
parler du monde des humains.
– Quand vous aurez quinze ans, leur disait-elle, vous aurez la permission
de monter à la surface, de vous asseoir au clair de lune sur les rochers et
de regarder passer les grands vaisseaux !
Lorsque ce jour arriva pour la petite sirène, sa grand-mère la coiffa
d'une couronne de lys blancs et attacha six huîtres à sa queue. Aussitôt,
elle s'éleva aussi légère et brillante qu'une bulle à travers les eaux. Le
soleil venait de se coucher lorsqu'elle arriva à la surface.
Un grand navire à trois mâts se trouvait là, une seule voile tendue, car
il n'y avait pas le moindre souffle de vent. Il y avait des lumières partout
et de la musique. La petite sirène nagea jusqu'au navire et aperçut au
travers de la fenêtre du salon un jeune prince aux yeux noirs. Cette fête
célébrait son anniversaire. « Comme il est beau ! » pensa-t-elle.

Soudain, tout devint très noir. En l'espace d'un instant, la mer s'agita furieusement. Le temps d'un éclair, la petite sirène les aperçut tous sur le pont, en proie à une grande frayeur. C'est alors que le bateau se disloqua, projetant ses occupants dans la mer. N'écoutant que son cœur, elle se précipita au milieu des débris pour sauver le jeune prince. Après l'avoir retrouvé, elle l'emporta jusqu'à une crique, le déposa, épuisé, sur le sable au pied d'un temple, et se cacha derrière un rocher.

Une jeune fille ne tarda pas à s'approcher, puis elle repartit chercher de l'aide. Le prince revint à lui et sourit à tout le monde. Cependant, il était loin d'imaginer qui l'avait sauvé en réalité.

Maintenant que la petite sirène savait où il habitait, elle revint souvent, le soir et la nuit. Elle s'avançait bien plus près du rivage qu'aucune de ses sœurs n'avait osé le faire, et restait à regarder le jeune prince qui se croyait seul au clair de lune.

Plus elle venait l'observer, plus son envie de vivre parmi les humains devenait grande. Surprise que les hommes ne respirent pas sous l'eau, elle questionna sa grand-mère.

– Les hommes ont une durée de vie plus courte que nous, lui répondit-elle, alors que, nous, nous vivons près de trois cents ans. Cependant, à la fin de notre existence, nous devenons écume sur les flots. Nous n'avons pas d'âme immortelle, nous ne reprenons jamais vie. Les hommes au contraire ont une âme qui vit éternellement.

La petite sirène ne pouvait oublier le beau prince. Bien qu'elle en eût très peur, elle décida de se rendre chez la sorcière de la Mer pour lui demander de l'aide.

– Je sais ce que tu veux, lui dit la sorcière, et c'est bien bête de ta part, car cela ne t'apportera que le malheur. Je vais te préparer un breuvage que tu emporteras jusqu'au rivage et que tu boiras avant le lever du jour. Alors ta queue se divisera en deux jolies jambes, mais cela te fera souffrir comme si tu étais transpercée par la lame d'une épée. Seulement, après cela, tu ne pourras jamais redevenir sirène, ni jamais redescendre auprès de tes sœurs dans le palais de ton père. Et si tu ne gagnes pas l'amour du prince, le lendemain matin de son mariage avec une autre, ton cœur se brisera et tu ne seras plus qu'écume sur la mer. Ce n'est pas tout : pour prix de ce filtre, je veux ta si jolie voix.

De retour au palais de son père, la petite sirène, à présent muette, n'osa pas aller auprès des siens et leur dit adieu avec son cœur. Elle traversa les flots sombres de la mer jusqu'au rivage et avala la brûlante mixture. Il lui sembla qu'une épée à double tranchant fendait son tendre corps, et elle s'évanouit. Lorsqu'elle se réveilla, le jeune prince se tenait debout devant elle. Il lui demanda qui elle était, comment elle était venue là. Comme elle ne pouvait parler, elle leva vers lui doucement, mais tristement, ses grands yeux bleus. Alors, il la prit par la main et la conduisit au palais. Sa main dans la main du prince, elle évoluait aussi légère qu'un souffle, et tous, sur son passage, s'émerveillèrent de sa démarche gracieuse et ondulante.

On lui fit revêtir les plus précieux vêtements de soie et de mousseline. Sa beauté était sans pareille, mais elle restait muette. La nuit, lorsque le château était totalement endormi, elle descendait le large escalier de marbre et rafraîchissait ses pieds brûlants dans l'eau fraîche de la mer. Et puis, elle pensait aux siens, en bas, au fond de la mer. Une nuit, ses sœurs lui rendirent visite et lui racontèrent combien son départ les avait tous peinés. Par la suite, elles revinrent chaque soir. Une autre fois, la petite sirène aperçut au loin sa grand-mère, qui n'était guère montée à la surface depuis bien longtemps. Son père vint aussi, mais ni l'un ni l'autre n'osa s'approcher autant que ses sœurs.

De jour en jour, la petite sirène devenait plus chère au prince. «Ne m'aimes-tu pas plus que toutes les autres ?» semblaient demander les yeux de la jeune fille quand il la prenait dans ses bras.
– Oui, tu m'es la plus chère, disait le prince, ton cœur est le meilleur qui soit et tu m'es la plus dévouée. Surtout, tu ressembles étrangement à la jeune fille du temple qui m'a sauvé lors du naufrage de mon navire, et que je ne retrouverai sans doute jamais. C'est ma bonne étoile qui t'a envoyée à moi. Nous ne nous quitterons jamais. «Hélas ! Il ne sait pas que c'est moi qui lui ai sauvé la vie !» songeait tristement la petite sirène.

Mais voilà qu'on commença à murmurer que le prince allait se marier, qu'il allait épouser la ravissante jeune fille du roi voisin. La petite sirène secoua la tête et rit, car elle connaissait les pensées du prince bien mieux que tous les autres.

– Je dois partir en voyage, lui avait-il dit. Je dois rencontrer cette belle princesse, mes parents l'exigent, mais ils ne m'obligeront pas à la ramener ici pour en faire mon épouse. Je ne peux pas l'aimer d'amour, elle ne ressemble pas comme toi à la belle jeune fille du temple.

Peu de temps après, le vaisseau fit son entrée dans le port splendide de la capitale du roi voisin.

La petite sirène était fort impatiente de juger de la beauté de cette princesse. Il lui fallut reconnaître qu'elle n'avait jamais vu fille plus gracieuse. Sa peau était douce et pâle et, derrière les longs cils, deux yeux d'un bleu sombre souriaient. C'était elle, la jeune fille du temple...

– Enfin, je te retrouve ! dit le prince. C'est toi qui m'as sauvé lorsque je gisais comme mort sur la plage !

Et il serra dans ses bras sa fiancée rougissante.

– Comme je suis heureux, dit-il à la petite sirène. Voilà que se réalise ce que je n'aurais jamais osé espérer. Toi qui me connais mieux que quiconque, tu dois te réjouir de mon bonheur.

La petite sirène lui baisait les mains, mais son cœur se brisait. Ne devait-elle pas mourir le lendemain de ses noces ?

Le jour venu, la petite sirène, vêtue de soie et d'or, tenait la traîne de la mariée en pensant à tout ce qu'elle avait perdu en ce monde. Le soir même, les époux s'embarquèrent aux salves des canons. À la nuit tombée, on alluma des lumières de toutes les couleurs et les marins se mirent à danser.

Après la fête, la petite sirène, seule sur le pont du bateau, chercha le premier rayon du soleil qui allait la tuer. Soudain, ses sœurs apparurent à la surface de la mer. Elles étaient pâles, leurs longs cheveux ne flottaient plus au vent; ils avaient été coupés.

– Nous les avons vendus à la sorcière pour que tu ne meures pas cette nuit. Ton seul espoir réside dans le couteau que voici... Avant que le jour ne se lève, tu devras le plonger dans le cœur du prince et lorsque son sang tombera sur tes pieds, ils se réuniront en une queue de poisson et tu redeviendras sirène.

La petite sirène prit le couteau et écarta le rideau de pourpre de la tente où reposaient les jeunes mariés. Elle vit la douce épousée dormant la tête appuyée sur l'épaule du prince. Elle se pencha et posa délicatement un bai-ser sur le beau front du jeune homme. Le couteau tremblait dans sa main. Incapable d'aller au bout de son geste, elle le lança tout à coup au loin dans les vagues. Alors, les yeux remplis de larmes, elle contempla une dernière fois le prince et se précipita dans la mer, où elle sentit son corps se dissoudre en écume.

Quand le soleil surgit, la petite sirène ne ressentit pas la mort. Dans l'aube naissante planaient au-dessus d'elle des centaines de charmants êtres transparents.

– Où m'emmenez-vous ? demanda-t-elle d'une voix, immatérielle, qu'aucune musique humaine n'aurait pu exprimer.

– Chez les filles de l'Air, répondirent-elles. Une sirène n'aura une âme éternelle que si elle gagne l'amour d'un homme. Il en est de même pour les filles de l'Air, qui peuvent, par leurs bonnes actions, s'en créer une. Alors, la petite sirène leva ses bras transparents vers le soleil et, pour la première fois, des larmes montèrent à ses yeux. Sur le bateau, elle vit le prince et sa belle épouse la chercher de tous côtés, elle les vit fixer tristement leurs regards sur l'écume dansante, comme s'ils avaient deviné qu'elle s'était précipitée dans les vagues. Invisible, elle baisa le front du prince, lui sourit et s'envola vers les nuages roses qui voguaient dans l'air.

L'intrépide soldat de plomb

Il était une fois une boîte de soldats de plomb. Ils étaient vingt-cinq, tous frères, tous nés d'une vieille cuillère de plomb. L'arme au bras et la tête bien droite, ils portaient fièrement leur uniforme rouge et bleu.

Un petit garçon les avait reçus en cadeau pour son anniversaire, et le cri de joie qu'il poussa en soulevant le couvercle de leur boîte fut le premier son qu'ils entendirent en ce monde. Tout de suite, il les aligna sur sa table.

Les soldats étaient tous identiques,
sauf un, qui n'avait qu'une seule
jambe. Il avait dû être coulé
en dernier avec le peu
de plomb qui restait.
Cependant, malgré
son infirmité, il était
tout aussi solide que
les autres. Sortis de leur
boîte, les petits soldats
furent accueillis par beaucoup
d'autres jouets et découvrirent
sur la table un magnifique
château en carton.

Devant ce château se tenait une jolie danseuse.
Portant une robe vaporeuse avec une fleur
cousue à la taille, elle semblait s'envoler dans une
gracieuse arabesque. Le soldat de plomb crut que
la petite danseuse n'avait qu'une jambe, comme
lui. Alors, il pensa :
– Voilà une femme pour moi. Mais elle vit dans
un château et la boîte où j'habite avec mes frères
n'est pas digne d'une si ravissante personne.
Tant pis, je tente ma chance !

Alors il se cacha derrière une
bonbonnière qui se trouvait sur la
table. Il pouvait ainsi admirer à sa
guise cette exquise petite demoiselle,
qui inlassablement se tenait debout
sur sa jambe, sans jamais perdre
pour autant l'équilibre.

À la fin de la journée, tous les autres soldats de plomb réintégrèrent leur coffret et les habitants de la maison allèrent se coucher. Alors les jouets s'animèrent : ils se rendaient visite, mimaient une guerre ou s'invitaient au bal. Les soldats auraient bien voulu être de la fête, mais ils n'arrivaient pas à soulever le couvercle de leur boîte.

La fête battait son plein : le casse-noisettes faisait des culbutes et la craie batifolait sur l'ardoise. Au milieu de ce chahut, le canari se mit à gazouiller. Les deux seuls à ne pas bouger étaient le soldat de plomb et la petite danseuse, elle toujours droite sur la pointe de son pied ; lui bien campé sur sa jambe. Pas un seul instant, ils ne se quittaient des yeux.

Soudain, la pendule sonna les douze coups de minuit. Clac! Le couvercle de la bonbonnière sauta et un petit diable noir surgit, l'air mauvais.

– Soldat de plomb, cria le diablotin jaloux comme un tigre, veux-tu bien mettre tes yeux dans ta poche?

Mais le petit soldat continua de dévorer sa belle du regard.

– Tu ne perds rien pour attendre! le menaça le diablotin.

Le lendemain matin, le petit garçon installa le soldat sur le rebord de la fenêtre. Tout à coup, sous l'effet d'un coup de vent - ou, qui sait, par la malice du diable noir - la fenêtre s'ouvrit brusquement. Alors le soldat bascula la tête la première du troisième étage. Il atterrit la jambe en l'air, sur la tête, la baïonnette coincée entre deux pavés. Le petit garçon descendit aussitôt pour le ramasser, mais il ne le vit pas. Le soldat de plomb aurait pu hurler : « Je suis là ! » mais ce n'est pas convenable de crier si fort quand on est en uniforme.

Soudain une forte pluie se mit à tomber. Quand l'averse eut cessé, deux gamins, qui passaient par là, trouvèrent le soldat.
– Dis donc, dit l'un d'eux, et si on l'envoyait faire un long voyage !
Ils fabriquèrent un bateau avec du papier journal et y placèrent le soldat. Et le voilà voguant dans le caniveau, les deux garçons courant à côté et battant des mains. Quel courant et quelles vagues dans ce ruisseau ! Rien d'étonnant après ce déluge ! Le bateau de papier montait, descendait et tournoyait sur lui-même, mais le soldat de plomb demeurait stoïque, sans broncher, regardant droit devant lui, l'arme au bras.

Tout à coup, le bateau s'engouffra par un soupirail
dans le conduit des égouts. Il y faisait aussi noir
que s'il avait été dans sa boîte.
– Où cela va-t-il me mener ? pensa-t-il. Tout est
sûrement de la faute du diable de la bonbonnière.
Si seulement la petite danseuse était assise à mes
côtés dans ce bateau, j'accepterais bien qu'il y fît
deux fois plus sombre !

À ce moment surgit un gros rat qui habitait tout près de là.

– Passeport ! cria-t-il, montre ton passeport, et vite !

Le soldat de plomb demeura muet, serrant seulement un peu plus fort son fusil. Le bateau continua sa course et le rat se mit à courir après lui en s'égosillant.

– Arrêtez-le, il n'a pas payé de douane, ni montré son passeport !

Mais le courant devenait de plus en plus fort. Le soldat de plomb aperçut alors la clarté du jour, là où s'arrêtait le conduit, mais il entendait aussi un fort grondement. Tout au bout, devant lui, le ruisseau se jetait droit dans le grand canal. Il en était maintenant si près que rien ne pouvait plus l'arrêter. Alors, le bateau fut projeté en avant et, avec lui, le pauvre soldat de plomb.

La frêle embarcation tournoya deux ou trois fois, s'emplit d'eau jusqu'au bord, et commença à sombrer. Le soldat avait maintenant de l'eau jusqu'au cou. Le bateau s'enfonçait toujours davantage, le papier s'amollissait de plus en plus et l'eau passa bientôt par-dessus la tête du navigateur. Alors, il pensa à la ravissante petite ballerine qu'il ne reverrait plus jamais. Une chanson tinta à ses oreilles :

« Tu es en grand danger, guerrier ! Tu vas souffrir la malemort ! »

Brusquement, le papier se déchira et le soldat passa au travers. Mais, au même instant, un gros poisson l'avala.

Ce qu'il faisait sombre là-dedans! Encore
plus que dans le conduit des égouts!
Notre soldat, très à l'étroit cette fois, mais
toujours stoïque, resta couché de tout son
long, l'arme au bras.
Soudain le poisson s'agita et des
secousses effroyables le secouèrent.
C'est alors qu'un éclair le traversa,
et qu'il s'arrêta de bouger. Enfin,
la lumière l'inonda d'un seul
coup et quelqu'un cria:
– Tiens! Un soldat de plomb!

En réalité, le poisson avait été pêché, vendu au marché, monté à l'office où la cuisinière l'avait ouvert avec un grand couteau. Elle saisit le soldat par le milieu du corps et le porta au salon, car tous voulaient voir à quoi ressemblait un homme qui avait voyagé dans le ventre d'un poisson. Elle le posa sur la table...

Comme le monde est petit! Il se retrouvait dans le même salon, revoyait les mêmes enfants, les mêmes jouets sur la table, et surtout le château avec l'exquise petite danseuse toujours debout sur une jambe. Le soldat était tout ému, il faillit presque pleurer des larmes de plomb, mais cela ne se faisait pas... Sans un mot, ils échangèrent de longs regards.

Soudain, sans aucune raison ou peut-être sous l'influence du diable noir, le petit garçon attrapa le soldat et le jeta dans le poêle.

Tout ébloui, le soldat de plomb sentit monter en lui une chaleur effroyable. Était-ce le feu ou son grand amour qui le consumait ? Ne quittant pas sa jolie ballerine des yeux, il se sentait fondre, pourtant, imperturbable, il restait debout, l'arme au bras. Mais la porte s'ouvrit, et le vent emporta la danseuse qui, tel un beau papillon, vint se poser aux côtés de son soldat. Alors, elle s'enflamma… et disparut.

Lorsqu'on vida les cendres, le lendemain matin, on retrouva un petit cœur de plomb, et à ses côtés une fleur, toute noircie par le feu.

La petite poucette

*I*l était une fois une femme qui aurait bien voulu avoir un tout petit enfant. Ne sachant comment s'y prendre, elle alla trouver sa voisine, une vieille sorcière, et lui demanda :

– J'aimerais beaucoup avoir un enfant. Pourrais-tu me dire comment en trouver un ?

– Je peux t'aider, lui répondit la sorcière. Tiens, voici un grain d'orge. Ce n'est pas un grain ordinaire. Mets-le dans un pot, et tu verras !

La femme la remercia et rentra chez elle.

Arrivée dans sa maison, elle planta la graine, et aussitôt une sorte de grande tulipe poussa dans le pot. La femme trouva la fleur fort jolie. Elle caressa les beaux pétales rouges et jaunes et, au moment où elle s'apprêtait même à les embrasser, la fleur s'ouvrit dans un grand bruit d'explosion. Alors, au milieu, elle aperçut une toute petite fille, mignonne et gentille, qui n'était pas plus haute qu'un pouce. Et, pour cette raison, elle l'appela Poucette.

Pour dormir, elle lui donna un berceau fait d'une coque de noix laquée, de feuilles de noisetier en guise de matelas, et des pétale de roses pour édredon. Le jour, elle jouait sur la table. La femme y avait posé une assiette entourée d'une couronne de fleurs dont les tiges trempaient dans l'eau.

Un grand pétale de tulipe y flottait sur lequel Poucette naviguait, d'un bord à l'autre de l'assiette, se servant pour ramer de deux crins de cheval blanc. Elle était toujours gaie et chantait toute la journée d'une voix douce et mélodieuse.

Une nuit, une vilaine grenouille entra par la fenêtre dont le carreau était cassé. Elle était laide, grosse et mouillée. En passant près de Poucette, la grenouille pensa qu'elle ferait une épouse parfaite pour son fils. Alors elle s'empara de la coque de noix où Poucette dormait, et s'enfuit dans le jardin.

La grenouille habitait au bord d'un large ruisseau avec son fils. Il était aussi laid et vilain que sa mère. « Coâ, coâ, brékékékex ! » fut tout ce qu'il trouva à dire en voyant la jolie petite fille.

– Chut, tu vas la réveiller ! dit la vieille grenouille. Posons-la sur une des feuilles de nénuphar et allons préparer la belle chambre que vous habiterez, là sous la vase.

La pauvre enfant se réveilla de très bonne heure le matin, et, lorsqu'elle découvrit où elle était, elle se mit à pleurer. Il y avait de l'eau tout autour de la grande feuille verte, et elle ne pouvait plus du tout aller par terre.

La voyant réveillée, la vieille grenouille nagea avec son vilain fils vers la feuille où était Poucette et lui annonça :

– Je te présente mon fils. Il sera ton mari, et vous aurez un logement très coquet au fond de la vase.

– Coâ, coâ, brékékékex ! sembla acquiescer son fils.

Poucette était désespérée. Elle se remit à pleurer car elle ne voulait pas rester chez la vilaine grenouille, ni avoir son fils si laid pour mari. Mais les petits poissons qui nageaient tout près avaient entendu les propos de la grenouille. Ils s'assemblèrent alors sous l'eau et mordillèrent la tige qui retenait la feuille. Une fois détachée, celle-ci descendit le cours du ruisseau, emportant Poucette loin, très loin, là où la grenouille ne pouvait pas aller.

Un joli petit papillon blanc ne cessait de voler autour d'elle et finit par se poser sur la feuille. Poucette lui plaisait, et le lieu où elle naviguait était très agréable car le soleil luisait sur l'eau. La petite fille défit sa ceinture, en attacha un bout au papillon, fixa l'autre bout dans la feuille, qui prit ainsi une allure beaucoup plus rapide. Un peu plus loin, un grand hanneton qui volait alentour les aperçut. Aussitôt il piqua vers eux, saisit entre ses pinces la taille frêle de la petite, et l'emporta dans un arbre. Poucette fut effrayée lorsque le hanneton s'envola avec elle, mais surtout elle fut chagrinée pour le beau papillon blanc qu'elle avait attaché à la feuille. S'il ne parvenait pas à se libérer, il allait mourir de faim.

Le hanneton l'installa délicatement sur la plus grande feuille de l'arbre et lui apporta du pollen à manger. Tous les autres hannetons qui habitaient l'arbre lui rendirent visite. Quand ils virent Poucette, ils lui tournèrent le dos de manière hautaine en disant :
– Elle n'a que deux pattes, quelle honte, et elle n'a même pas d'antennes !
– Elle a la taille trop mince, pfff ! Elle ressemble à l'espèce humaine ! Elle est vraiment trop laide !
Le hanneton qui l'avait emportée la trouvait pourtant très gentille, mais il se laissa influencer par leurs jugements, et finalement il la chassa.

La pauvre Poucette vécut seule tout l'été dans la grande forêt. Elle se tressa un lit de brins d'herbe qu'elle suspendit à une grande feuille de fougères. Elle se nourrissait du pollen des fleurs, et buvait la rosée que l'aube déposait sur les feuilles. Ainsi passèrent l'été et l'automne. Quand vint l'hiver, tous les oiseaux qui lui avaient chanté de belles chansons s'en allèrent. Les arbres et les fleurs se fanèrent. Ses vêtements déchirés ne la protégeaient pas suffisamment des morsures du froid. Elle s'enveloppa alors dans une feuille fanée, mais elle était si petite et si frêle que cela ne put pas la réchauffer.

Elle marcha jusqu'à l'orée de la forêt et arriva devant la maison de la souris des champs. Comme elle n'avait rien mangé depuis deux jours, Poucette frappa à la porte comme une pauvre mendiante, et demanda un petit morceau de grain d'orge.

– Pauvre petite, dit la souris avec bonté, entre et viens manger avec moi !

Séduite par la gentillesse de Poucette, elle ajouta :

– Si tu le veux, tu peux rester ici cet hiver, mais il te faudra faire le ménage et me conter des histoires tous les jours, car je les aime beaucoup.

Poucette accepta aussitôt cette généreuse proposition.

– Nous n'allons pas tarder à avoir de la visite, annonça la souris des champs. Mon voisin a l'habitude de venir me voir chaque jour de la semaine.

Ce voisin, qui était une taupe, vivait dans une maison bien plus grande que celle de la souris. Il ne pouvait supporter le soleil et les belles fleurs, et comme il ne les avait jamais vus, il en disait le plus grand mal.

La taupe avait récemment construit un long corridor dans la terre entre sa demeure et celle de la souris. Alors, elle leur permit de s'y promener autant qu'elles le voudraient. Elle leur dit toutefois de ne pas avoir peur de l'oiseau mort qui gisait au milieu du corridor.

Cette nuit-là, Poucette, qui ne pouvait dormir, se leva et tissa une belle couverture de paille pour envelopper l'hirondelle morte.

– Adieu, bel oiseau, dit-elle. Et merci pour tes merveilleux chants de cet été.

Elle posa sa tête sur la poitrine de l'oiseau, mais se redressa brusquement. Le cœur de l'hirondelle battait. Elle n'était pas morte, mais simplement engourdie, et la chaleur l'avait ranimée.

Poucette était un peu effrayée, car l'oiseau était fort grand à côté d'elle.

La nuit suivante, elle retourna près de l'oiseau. Il était très faible, mais il put ouvrir un instant ses yeux et voir Poucette.

– Merci de m'avoir si délicieusement réchauffée, lui dit l'hirondelle. Bientôt, j'aurai repris des forces, et je pourrai voler aux chauds rayons du soleil !

– Oh ! s'attrista Poucette, il fait si froid dehors, il neige et il gèle. Reste ici dans ton lit chaud, je veillerai sur toi.

Alors l'hirondelle passa tout l'hiver avec Poucette qui la couvrit d'attentions.

Quand vint le printemps, l'hirondelle proposa à la petite fille de partir avec elle. Mais Poucette refusa car elle savait que cela ferait de la peine à la vieille souris des champs si elle la quittait ainsi.

– Adieu, donc, douce enfant, regretta l'hirondelle.

Elle s'envola vers le soleil et Poucette la suivit des yeux tant qu'elle le put.

Les beaux jours étaient revenus, et Poucette aurait bien voulu sortir se réchauffer au soleil, mais le blé semé sur le champ au-dessus de la maison de la souris avait poussé en une forêt trop drue pour cette petite fille haute comme le pouce.

– Cet été, tu devras coudre ton costume, lui annonça un jour la souris. La taupe t'a demandée en mariage.

Ce projet ne plaisait pas à Poucette car elle n'aimait pas du tout la taupe. Tous les jours, au lever et au coucher du soleil, elle se glissait dehors, et quand le vent écartait les sommets des tiges, elle pouvait voir le ciel bleu. Elle espérait vivement revoir sa chère hirondelle ; mais elle devait être loin maintenant.

Lorsque l'automne arriva, la corbeille de Poucette était déjà prête, la noce devant se tenir quatre semaines plus tard. Poucette pleura car elle ne voulait pas épouser l'ennuyeuse taupe. Elle savait qu'après son mariage elle devrait habiter au fond de la terre et ne plus jamais en sortir. Tout affligée, elle demanda à dire adieu au beau soleil. Elle fit quelques pas dehors car, le blé ayant été coupé, il ne restait plus que le chaume sec. Elle entoura de ses bras un frêle coquelicot qui se tenait là.

– Salue de ma part mon amie l'hirondelle, si tu la vois.

À ce moment-là, elle leva les yeux et vit l'hirondelle, qui vint se poser près d'elle. La fillette lui expliqua les raisons de sa profonde tristesse.

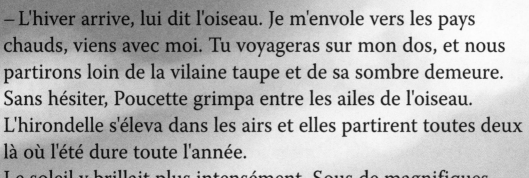

– L'hiver arrive, lui dit l'oiseau. Je m'envole vers les pays chauds, viens avec moi. Tu voyageras sur mon dos, et nous partirons loin de la vilaine taupe et de sa sombre demeure. Sans hésiter, Poucette grimpa entre les ailes de l'oiseau. L'hirondelle s'éleva dans les airs et elles partirent toutes deux là où l'été dure toute l'année.

Le soleil y brillait plus intensément. Sous de magnifiques arbres verts au bord de la mer bleue se trouvait un château d'une blancheur éclatante. Au sommet de ses tours, il y avait de nombreux nids d'hirondelles, et dans l'un d'eux habitait celle qui portait Poucette.

L'hirondelle déposa doucement Poucette sur l'un des larges pétales d'une magnifique fleur blanche. À la grande surprise de la petite fille, un petit homme y était assis, aussi blanc et transparent que s'il avait été de verre. Il portait une belle couronne d'or et de jolies ailes claires, et il n'était pas plus grand que Poucette. C'était l'ange de la fleur. Dans chaque fleur habitait un pareil ange, homme ou femme, mais celui-là était le roi de tous.

Lorsque le petit prince vit Poucette, il fut tellement ébloui par sa beauté qu'il lui demanda de l'épouser. C'était là un mari bien différent du fils de la grenouille et de la taupe ! Elle accepta donc tout de suite. Alors on lui accrocha de belles ailes sur le dos, sous l'œil attendri de la petite hirondelle qui, du haut de son nid, chantait du mieux qu'elle pouvait pour la nouvelle reine de toutes les fleurs !

Saint-Brunace 2018

CBC ⊕ Radio-Canada

Les contes de Perrault

Le chat botté

La belle au bois dormant

Le petit poucet

Cendrillon

Le petit chaperon rouge

Le chat botté

*I*l était une fois un pauvre
meunier qui avait trois fils.
À sa mort, il ne laissa à ses
enfants que son moulin, son âne
et son chat. Devant si peu de biens, le
partage fut vite fait. L'aîné s'appropria le moulin, le cadet prit l'âne,
et il ne resta que le chat pour le benjamin. Ce dernier était fort
désappointé de ne récupérer qu'un si pauvre héritage.
– Mes frères pourront gagner leur vie honnêtement en travaillant
ensemble, soupira-t-il. Mais moi, après avoir mangé mon chat, et
fait un manchon de sa peau, que vais-je devenir ?

Le chat dressa l'oreille en entendant le discours de son nouveau maître et lui dit d'un air sérieux :

– Ne vous affligez point, mon maître. Si vous me donnez un sac et une paire de bottes, je vous promets que vous ne serez pas déçu.

Le jeune homme regarda son chat d'un air perplexe. Cependant, il le savait rusé et l'avait vu accomplir de multiples prouesses acrobatiques pour attraper les souris et les rats qui traînaient dans le moulin de son père. Alors, que risquait-il?

Lorsque le chat obtint ce qu'il avait demandé, il enfila fièrement
ses bottes et accrocha son sac en bandoulière. Ainsi équipé, il partit
dans la garenne voisine, là où il y avait grand nombre de lapins.
Il mit du grain et des pissenlits au fond de son sac, en attrapa les
cordons avec ses pattes, s'allongea dans l'herbe et fit semblant de
dormir. Ainsi, avec ces mets de choix, il voulait attirer dans son sac
quelque jeune lapin encore peu rompu à ce genre de piège. Au bout
d'un instant à peine, le guet-apens fonctionna. Un lapin vint renifler ce
déjeuner appétissant et entra dans le sac. Alors, le chat tira
aussitôt sur les ficelles, l'emprisonna et le tua impitoyablement.
Très fier de sa chasse, il se rendit chez le roi et lui demanda audience.

Entré dans les appartements du souverain,
il fit une grande révérence et dit au roi:
– Sire, voici un lapin de garenne que monsieur le marquis de Carabas
(c'était le premier nom qui lui était passé par la tête pour désigner son
nouveau maître) m'a chargé de vous porter en son nom.
– Dis à ton maître que je le remercie, répondit le roi, et que son geste
me touche beaucoup.

Quelques jours plus tard, il retourna chasser. Cette fois, il se cacha dans un champ de blé, son sac toujours grand ouvert. Au bout d'un certain temps, deux perdrix y entrèrent et, fermant le sac vivement, il les prit toutes deux. Il retourna les offrir au roi, comme il l'avait fait avec le lapin. Le roi fut enchanté de ce nouveau présent, et lui proposa un rafraîchissement en l'honneur de son maître. Ainsi, pendant plusieurs mois, le chat rendit visite au roi régulièrement pour porter les fruits de la chasse du marquis de Carabas.

Un jour, il apprit que le roi devait aller se promener au bord de la rivière avec sa fille, une princesse aussi belle que le jour. Il courut voir son maître et lui dit :
– Dépêchez-vous ! Allez vous baigner dans la rivière près du petit pont, et laissez-moi faire. Si vous suivez ce conseil, votre fortune est faite.
Le marquis de Carabas suivit les indications de son chat, sans vraiment comprendre ce que cela lui rapporterait.

Mais, au moment où le carrosse du roi passa, le chat se mit à crier du plus fort qu'il put :

– Au secours, le marquis de Carabas se noie ! Au secours !

Entendant ces cris, le roi fit arrêter son carrosse et passa la tête à la portière. Tout de suite, il reconnut le chat qui lui avait apporté si souvent du gibier au cours des derniers mois. Alors, il ordonna à ses gardes de se porter rapidement au secours du marquis de Carabas. Pendant qu'on retirait le pauvre jeune homme de la rivière, le chat s'approcha du carrosse. Il raconta au souverain que, pendant que son maître se baignait, des voleurs s'étaient approchés et avaient emporté tous ses habits. À la vérité, le chat les avait lui-même cachés un peu plus loin sous une grosse pierre.

Touché par ce récit, le roi envoya aussitôt les officiers de sa garde-robe quérir un de ses plus beaux habits et le donna au marquis de Carabas. Le roi lui prodigua mille compliments sur sa prestance et sa fière allure.

Et, comme ces vêtements rehaussaient la finesse de ses traits et sa bonne mine, la fille du roi le trouva fort à son gré. De son côté, le jeune homme était tombé sous le charme de la princesse et lui coulait de longs regards tendres, si bien qu'elle en tomba follement amoureuse. Le roi lui proposa de monter dans son carrosse et de finir la promenade en leur compagnie.

Le chat se frottait les pattes car tout se déroulait
exactement comme il l'avait imaginé. Alors il
s'éloigna et devança le carrosse sur le chemin.
Il passa devant un pré que des paysans fauchaient, et il leur dit de sa
plus grosse voix :
– Bonnes gens qui fauchez, si vous ne dites pas au roi que ce pré
appartient au marquis de Carabas, vous serez tous hachés menu
comme de la chair à pâté !
Arrivant peu de temps après, le roi ne manqua pas de demander
aux paysans à qui était le champ qu'ils fauchaient.

– Il est au marquis de Carabas, répondirent-ils d'une seule voix,
car la menace du chat leur avait fait peur.
– Vous avez là un bel héritage, dit le roi au jeune homme.
– Vous avez raison, sire, répondit le marquis. Le pré me rapporte
quantité de fourrage chaque année.
Le roi complimenta le marquis, et ce fut ainsi avec toutes les
personnes qu'ils rencontrèrent. Le roi était fort étonné de la richesse
de ce marquis.

Le chat arriva enfin devant un immense château dont le maître était un ogre, le plus riche qu'on ait jamais vu. Pour preuve, toutes les terres que le roi avait traversées faisaient partie de son domaine.

Le chat, qui avait pris soin de s'informer sur le propriétaire des lieux, demanda à lui parler. L'ogre le reçut aussi civilement qu'un ogre peut le faire.

– Monseigneur, lui dit le chat en s'inclinant devant lui, je ne voulais pas passer si près de votre demeure sans prendre le temps de vous rencontrer. Voyez-vous, on m'a raconté que vous aviez le don de vous changer en toutes sortes d'animaux, et que vous pouviez, par exemple, vous transformer en lion ou en éléphant !

– Tout cela est vrai, répondit l'ogre brusquement, je peux vous le prouver dans la minute.

Et l'ogre se métamorphosa en un lion gigantesque.

En voyant l'énorme animal, le chat eut si peur qu'il s'enfuit dans les gouttières, non sans peine et sans péril d'ailleurs, car ce genre d'acrobaties est difficile à réaliser avec des bottes. Bien en sécurité sur le toit, le chat attendit que son hôte ait retrouvé son apparence humaine pour redescendre de son perchoir. Après avoir reconnu devant l'ogre qu'il avait eu très peur,il poursuivit :

– On m'a assuré, mais cela je ne saurais le croire, que vous aviez le pouvoir de devenir très petit, en vous transformant, par exemple, en souris ou en rat. Cette fois, je vous avoue que je tiens cela pour tout à fait impossible.

– Impossible ? reprit l'ogre, regardez donc !

Aussitôt il se changea en une toute petite souris, qui se mit à détaler sur le plancher. Mais le chat fut plus rapide et, se jetant sur elle, il la dévora.

Au même moment, le roi arrivait à proximité du château et, le trouvant si beau, il voulut le visiter. Le chat, qui les avait entendus arriver, surgit sur le pont-levis, et vint à leur rencontre :

– Que Votre Majesté soit la bienvenue dans le château du marquis de Carabas !

– Comment, monsieur le marquis ! s'écria le roi. Ce château est aussi à vous ! Quelle splendeur ! L'intérieur est-il aussi magnifique que l'extérieur ? Nous feriez-vous l'honneur de votre demeure ?

Le marquis donna la main à la jeune princesse, et tous deux suivirent le roi dans le château. À la fin de leur visite, ils entrèrent dans une grande salle où était dressé un somptueux buffet. En fait, il s'agissait d'un goûter que l'ogre avait organisé pour quelques amis qui devaient venir le voir ce même jour, mais qui n'avaient pas osé entrer, à la nouvelle de sa disparition.

Le roi était sous le charme de la gentillesse du marquis de Carabas, tout comme sa fille qui le trouvait de plus en plus séduisant. Alors, voyant les grands biens qu'il possédait, et après avoir bu cinq ou six coupes, le roi lui dit :

— Monsieur le marquis, il ne tient qu'à vous que vous ne deveniez mon gendre.

Le jeune homme, après plusieurs grandes révérences, accepta l'honneur que lui faisait le roi, et épousa la princesse le jour même. Le chat devint grand seigneur, et ne courut plus après les souris que pour s'en amuser.

La Belle au Bois dormant

Il était une fois un roi et une reine qui étaient très tristes de ne pas avoir d'enfants. Mais, un jour, la reine mit au monde une fille. Tout à leur bonheur, le roi et la reine organisèrent un magnifique baptême et donnèrent pour marraines à la petite princesse les sept fées du royaume, afin que chacune d'elles lui fasse un don, comme c'était la coutume en ce temps-là.

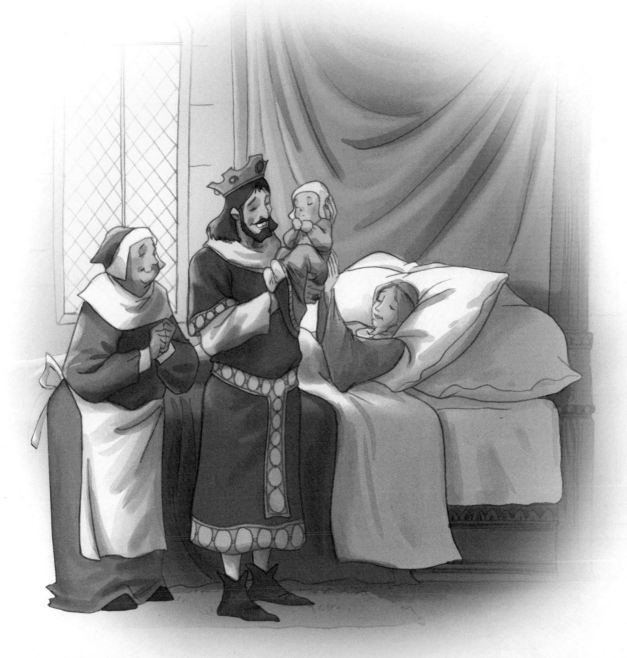

Après les cérémonies du baptême, tous les invités revinrent au palais du roi, où était dressé un grand festin. À ce moment-là entra une vieille fée. Elle n'avait pas été invitée parce que, n'étant pas sortie de sa tour depuis plus de cinquante ans, tout le monde l'avait crue morte. Vexée d'avoir été oubliée, la vieille femme pensa qu'on la méprisait et grommela quelques menaces entre ses dents. Pendant ce temps, les fées avaient déjà commencé à faire leurs dons à la princesse.

S'approchant tour à tour du berceau, elles lui offrirent la beauté, l'intelligence, ou encore une grâce admirable. La quatrième lui promit qu'elle danserait à la perfection, la cinquième qu'elle chanterait comme un rossignol, et la sixième qu'elle jouerait de toutes sortes d'instruments à la perfection. Enfin, la vieille fée s'avança et, d'une voix grave et menaçante, prédit que la princesse se percerait la main d'un fuseau et qu'elle en mourrait. À ces mots, toute l'assemblée frémit d'horreur.

C'est alors qu'une jeune fée sortit de derrière la
tapisserie, et dit :

– Rassurez-vous, ô mon roi, ô ma reine, votre fille
ne mourra pas : il est vrai que je n'ai pas assez de
pouvoirs pour défaire entièrement ce que mon aînée
a fait. La princesse se percera effectivement la main
d'un fuseau ; mais, au lieu d'en mourir, elle tombera
dans un profond sommeil qui dureracent ans, au bout
desquels le fils d'un roi viendra la réveiller.

Le roi, pour tenter d'éviter le malheur annoncé par
la vieille fée, fit interdire à tous de filer le fuseau, ou
d'avoir des fuseaux chez soi sous peine de mort.

Hêtre à grande forme

Quinze ou seize ans passèrent. Un jour, le roi et la reine se rendirent dans une de leurs maisons, dans une région reculée du royaume.

La jeune princesse courait dans le château, et passait de chambre en chambre. Elle s'aventura jusqu'au haut d'un donjon, où elle découvrit une vieille dame en train de filer sa quenouille. Celle-ci n'avait jamais entendu parler de l'interdiction de filer au fuseau que le roi avait ordonnée.

– Que faites-vous là, madame ? demanda la princesse.

– Je file, ma belle enfant, lui répondit la vieille qui ne la connaissait pas.

La princesse, trouvant cela très joli, voulut essayer à son tour. Hélas, au moment où elle touchait le fuseau, elle s'en piqua la main, et tomba évanouie. La bonne vieille, bien embarrassée, appela au secours : on accourut de tous côtés, on jeta de l'eau au visage de la princesse, on lui frappa dans les mains, on lui frotta les tempes avec de l'eau ; mais rien ne la fit revenir.

Le roi, qui se souvenait de la prédiction des fées, fit alors installer sa fille dans le plus bel appartement du palais, sur un lit en broderie d'or et d'argent, et ordonna qu'on la laisse dormir jusqu'à ce qu'il soit temps pour elle de se réveiller.

Même endormie la princesse gardait toute sa beauté ; on l'entendait respirer doucement, ce qui montrait bien qu'elle n'était pas morte.

La bonne fée, qui lui avait sauvé la vie en la condamnant à dormir cent ans, arriva sur ces entrefaites. Accueillie par le roi, elle approuva tout ce qu'il avait ordonné. Mais, grandement prévoyante, elle pensa que, quand la princesse viendrait à se réveiller, elle serait bien embarrassée toute seule dans ce vieux château. Alors, elle toucha de sa baguette tout ce qu'elle y trouva, excepté le roi et la reine. Gouvernantes, filles d'honneur, femmes de chambre, maîtres d'hôtel, gentilshommes, officiers, cuisiniers et marmitons, gardes, pages et valets, elle toucha tout le monde y compris les chevaux dans les écuries, et même la petite chienne de la princesse, qui s'était couchée auprès d'elle sur son lit.

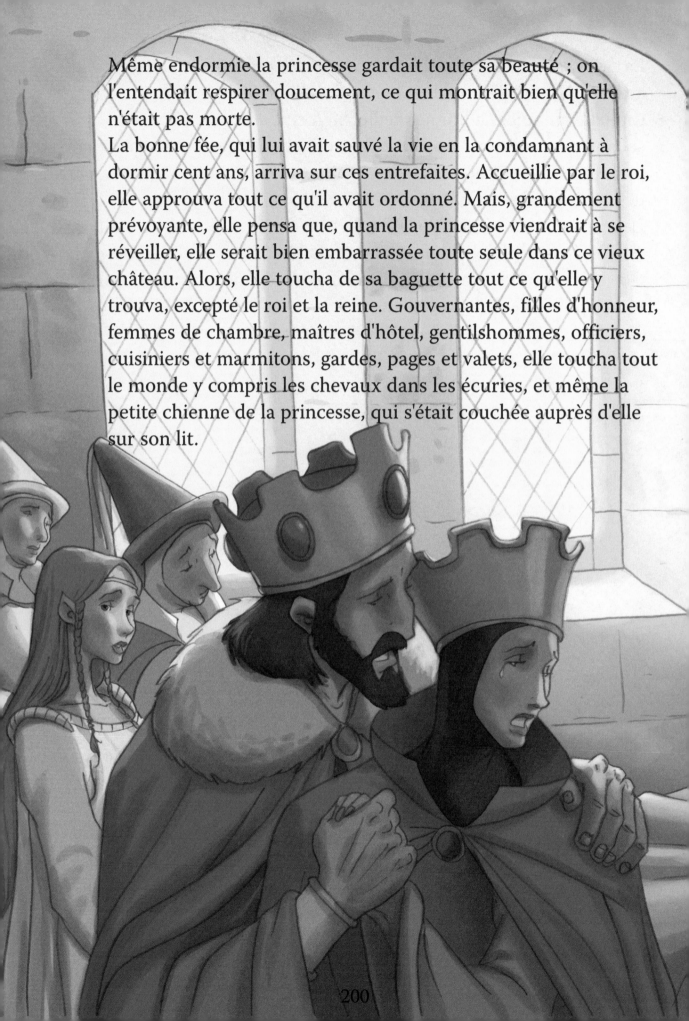

Et ils s'endormirent tous, pour ne
se réveiller qu'en même temps que
leur maîtresse, afin d'être prêts à la
servir quand elle en aurait besoin :
même les broches de perdrix et de
faisans qui cuisaient dans la cheminée
s'endormirent, et le feu aussi.
Enfin le roi et la reine, après avoir
embrassé leur chère enfant, sortirent du
château et défendirent à quiconque d'en
approcher.

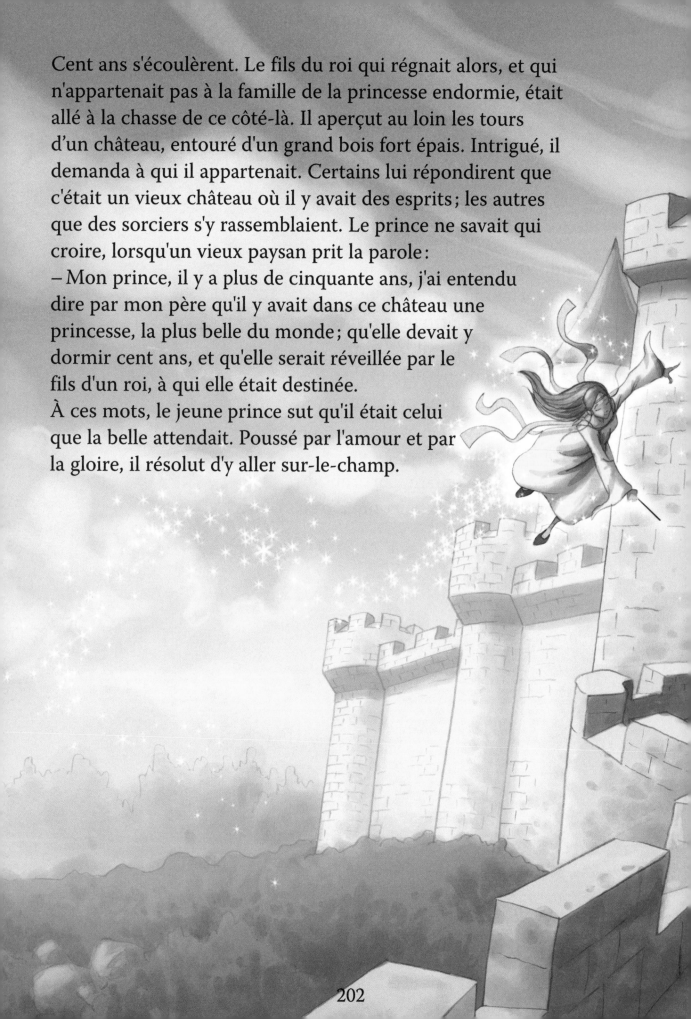

Cent ans s'écoulèrent. Le fils du roi qui régnait alors, et qui n'appartenait pas à la famille de la princesse endormie, était allé à la chasse de ce côté-là. Il aperçut au loin les tours d'un château, entouré d'un grand bois fort épais. Intrigué, il demanda à qui il appartenait. Certains lui répondirent que c'était un vieux château où il y avait des esprits ; les autres que des sorciers s'y rassemblaient. Le prince ne savait qui croire, lorsqu'un vieux paysan prit la parole :

– Mon prince, il y a plus de cinquante ans, j'ai entendu dire par mon père qu'il y avait dans ce château une princesse, la plus belle du monde ; qu'elle devait y dormir cent ans, et qu'elle serait réveillée par le fils d'un roi, à qui elle était destinée.

À ces mots, le jeune prince sut qu'il était celui que la belle attendait. Poussé par l'amour et par la gloire, il résolut d'y aller sur-le-champ.

Le bois semblait impénétrable mais, à peine s'était-il avancé, que tous ces grands arbres, ces ronces et ces épines s'écartèrent d'eux-mêmes pour le laisser passer. Il marcha vers le château qu'il apercevait au bout d'une avenue. Se retournant, il vit que personne n'avait pu le suivre car la forêt s'était de nouveau refermée après son passage. Il continua cependant son chemin : un prince jeune et amoureux est toujours vaillant.

Il arriva au château. Il se rendit compte que les gardes n'étaient qu'endormis, et les quelques gouttes de vin qui restaient dans leurs gobelets montraient qu'ils s'étaient endormis en buvant. Il passa une grande cour pavée de marbre, monta l'escalier et entra dans la salle des gardes qui, l'arme sur l'épaule, ronflaient bruyamment.

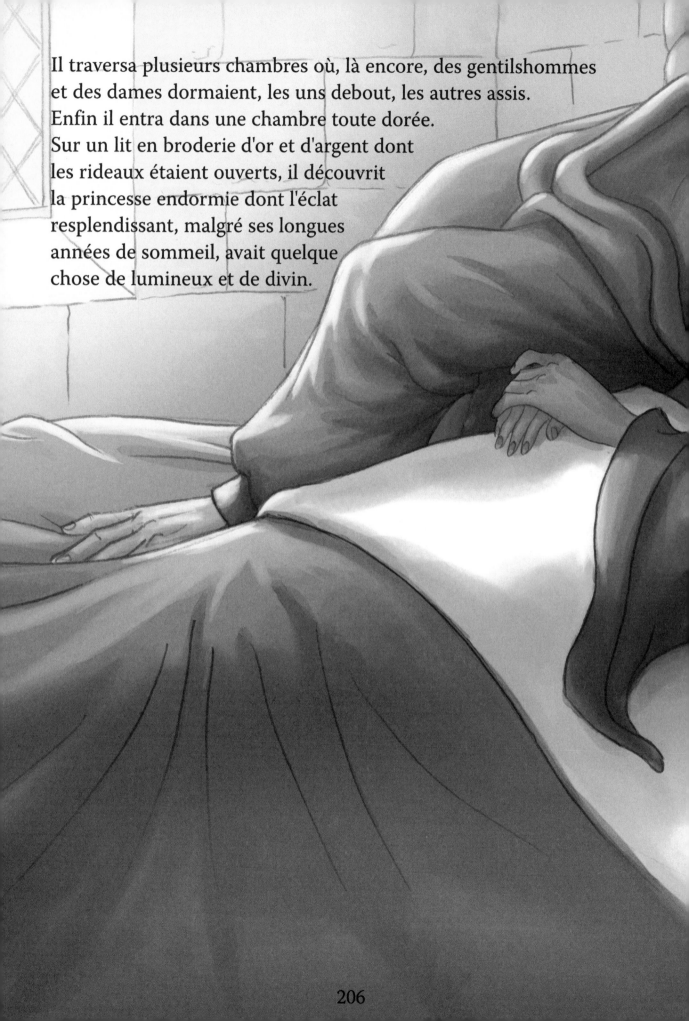

Il traversa plusieurs chambres où, là encore, des gentilshommes
et des dames dormaient, les uns debout, les autres assis.
Enfin il entra dans une chambre toute dorée.
Sur un lit en broderie d'or et d'argent dont
les rideaux étaient ouverts, il découvrit
la princesse endormie dont l'éclat
resplendissant, malgré ses longues
années de sommeil, avait quelque
chose de lumineux et de divin.

Instantanément, il en tomba éperdument amoureux.
Il s'approcha en tremblant, se mit à genoux auprès d'elle et
l'embrassa. Alors, comme la fin de l'enchantement était venue,
la princesse s'éveilla ; et, le regardant avec des yeux tendres,
elle demanda :
– Est-ce vous, mon prince ?

Le prince, charmé de ces paroles, et plus encore de la manière dont elles étaient dites, ne savait comment lui témoigner sa joie. Il l'assura qu'il l'aimait déjà plus que lui-même et lui demanda de l'épouser. Alors, un peu partout dans le château, chacun s'éveilla de son long sommeil et s'apprêta à servir la jeune princesse et son fiancé.

Le petit Poucet

Il était une fois un bûcheron et une bûcheronne qui avaient sept enfants, tous des garçons. Ils étaient très pauvres, et les sept enfants leur coûtaient beaucoup, parce qu'aucun d'eux ne pouvait encore gagner sa vie. Guère plus gros que le pouce à sa naissance, le dernier avait été appelé Petit Poucet.

Ce pauvre enfant était le souffre-douleur de la maison. Cependant il était le plus fin et le plus avisé des sept garçons, et s'il parlait peu, il écoutait beaucoup.

Il vint une année très fâcheuse, et la famine fut si grande que ces pauvres gens envisagèrent d'abandonner leurs enfants. Après les avoir couchés, le bûcheron dit à sa femme, le cœur étreint de douleur :

– Nous ne pouvons plus nourrir nos enfants et je ne saurais les voir mourir de faim sous mes yeux. Demain, nous irons dans les bois, et tandis qu'ils s'amuseront à fagoter, nous nous enfuirons sans qu'ils nous voient.

Mais, pour une mère, les projets du bûcheron étaient inconcevables. Cependant, imaginant la douleur de les voir mourir de faim, elle accepta, et alla se coucher en pleurant.

Le Petit Poucet, qui avait surpris leur conversation, ne dormit point le reste de la nuit, songeant à ce qu'il avait à faire. Il se leva avant le lever du soleil, alla au bord d'un ruisseau, emplit ses poches de petits cailloux blancs, et revint sans bruit à la maison.

Dans la matinée, ils partirent tous dans la forêt. Le bûcheron se mit à couper du bois et ses enfants à ramasser les branches. Voyant leurs enfants occupés à travailler, les parents s'éloignèrent, puis s'enfuirent par un petit sentier. Lorsque les enfants découvrirent qu'ils étaient seuls, ils se mirent à crier et à pleurer.

Le Petit Poucet souriait, car en marchant il avait semé le long du chemin les petits cailloux blancs qu'il avait dans ses poches. Il rassura ses frères :

– Ne craignez rien ; je vous ramènerai à la maison.

Alors, ils le suivirent, et grâce aux petits cailloux, ils retrouvèrent facilement leur maison. Tout d'abord, ils n'osèrent pas entrer, mais ils se mirent tous contre la porte pour écouter ce que disaient leur père et leur mère.

Au moment où le bûcheron et la bûcheronne étaient rentrés chez eux, le seigneur du village leur avait enfin fait porter les dix écus qu'il leur devait depuis longtemps. Devant cet argent inespéré, le bûcheron avait envoyé immédiatement sa femme à la boucherie. Et, comme il y avait longtemps qu'elle n'en avait mangé, elle avait acheté trois fois plus de viande qu'il n'en fallait.

– Hélas! Où sont maintenant mes enfants, mes pauvres enfants? se lamentait la bûcheronne, pendant qu'elle cuisinait et qu'une odeur alléchante emplissait la maison. Entendant ces mots, les enfants, qui étaient à la porte, se mirent à crier tous ensemble:
– Ici, nous voilà!

Elle courut vite leur ouvrir la porte et leur dit en les embrassant :
– Quel bonheur de vous revoir, mes chers enfants ! Entrez vite, vous devez avoir faim ; et toi, Pierrot, viens ici que je te débarbouille !

Ils se mirent à table, et mangèrent tous de bon appétit. Les garçons racontèrent leur peur dans la forêt et comment ils avaient retrouvé leur chemin. Les parents étaient ravis de revoir leurs enfants, et cette joie dura tant que les dix écus durèrent.

Lorsque l'argent fut dépensé, ils retombèrent dans leur premier chagrin et décidèrent de les abandonner encore une fois. De nouveau, le Petit Poucet les entendit. Mais, quand il se leva de bon matin pour aller ramasser des petits cailloux, il trouva la porte de la maison fermée à double tour.

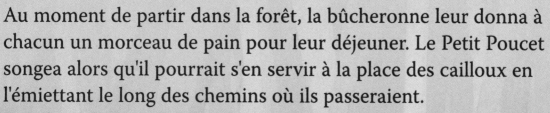

Au moment de partir dans la forêt, la bûcheronne leur donna à chacun un morceau de pain pour leur déjeuner. Le Petit Poucet songea alors qu'il pourrait s'en servir à la place des cailloux en l'émiettant le long des chemins où ils passeraient.

Le père et la mère les menèrent à l'endroit de la forêt le plus épais et le plus obscur. Ils s'arrêtèrent et les parents, voyant leurs enfants occupés à jouer, les laissèrent là. Le Petit Poucet ne s'en inquiéta pas beaucoup, parce qu'il croyait retrouver aisément son chemin grâce au pain qu'il avait semé. Mais il fut bien surpris lorsqu'il ne put en retrouver une seule miette, car les oiseaux les avaient toutes mangées.

Les enfants étaient cette fois bien tristes car, plus ils marchaient, plus ils s'égaraient et s'enfonçaient dans la forêt. Lorsque la nuit survint, un grand vent se leva qui leur fit épouvantablement peur. Ils croyaient n'entendre de tous les côtés que des hurlements de loups qui venaient les manger. Ils n'osaient presque plus se parler ni même bouger. Soudain une grosse pluie les trempa jusqu'aux os ; à chaque pas, ils glissaient et tombaient dans la boue, d'où ils se relevaient tout crottés. Alors, le Petit Poucet grimpa au haut d'un arbre et vit au loin une lueur.

Se dirigeant vers cette lumière, ils arrivèrent enfin devant une maison.
Ils frappèrent à la porte, et une bonne femme leur ouvrit. Quand le
Petit Poucet lui raconta qu'ils s'étaient perdus dans la forêt, la femme,
les voyant tous si jolis, se mit à pleurer :

– Quel malheur, mes pauvres garçons ! Savez-vous que cette maison
est celle d'un ogre qui mange les petits enfants ?

– Hélas ! madame, lui répondit le Petit Poucet, qui tremblait autant
que ses frères, que pouvons-nous faire ? Les loups de la forêt nous
dévoreront cette nuit, si vous ne nous hébergez pas chez vous.

La femme de l'ogre pensa qu'elle pourrait les cacher à son mari jusqu'au lendemain matin. Elle les laissa donc entrer et les mena se chauffer auprès du feu, où cuisait un mouton tout entier pour le souper de son mari. Comme ils commençaient à se réchauffer, ils entendirent frapper trois ou quatre grands coups à la porte : c'était l'ogre qui rentrait. Aussitôt la femme les cacha sous le lit et ouvrit la porte. Tout de suite, l'ogre demanda son souper et son pichet de vin. Soudain, il renifla à droite et à gauche, disant qu'il sentait la chair fraîche.

– Ce doit être ce veau que je viens de tuer pour votre repas de demain, lui dit sa femme.

– Je te dis que je sens la chair fraîche, reprit l'ogre, en regardant sa femme de travers. Il y a quelque chose de louche ici !

En disant ces mots, il se leva de table et alla droit au lit. Un à un, il en extirpa les garçons. Les pauvres enfants implorèrent son pardon.

Mais l'ogre attrapa un grand couteau. Il en avait déjà empoigné un, lorsque sa femme lui dit :

– Pourquoi vous occuper de cela ce soir ? Vous aurez bien assez de temps demain matin !

– Tu as raison, dit l'ogre, donne-leur à souper et va les coucher.

Les frères ne purent rien manger tant ils étaient effrayés.

Quant à l'ogre, il se remit à table, ravi du festin qu'il ferait le lendemain. Il but même plus qu'à l'ordinaire, ce qui lui donna un peu mal à la tête et l'obligea à aller se coucher.

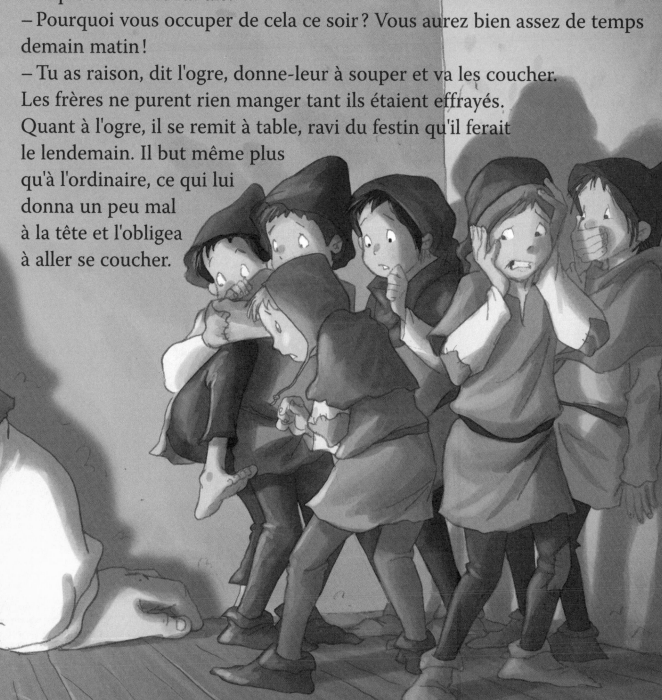

L'ogre avait sept filles du même âge que les garçons. Elles avaient de petits yeux gris et tout ronds, le nez crochu et de longues dents fort aiguës et éloignées les unes des autres. Elles dormaient toutes ensemble dans un grand lit, ayant chacune une couronne d'or sur la tête. Il y avait dans leur chambre un autre lit de la même taille. La femme de l'ogre y installa les sept petits garçons et alla se coucher auprès de son mari. Le Petit Poucet, qui avait remarqué que les filles de l'ogre avaient des couronnes d'or sur

la tête, se leva au milieu de la nuit. Ôtant les bonnets de ses frères et le sien, il les échangea tout doucement contre les couronnes, afin que l'ogre les prît pour ses filles, et ses filles pour les garçons qu'il voulait égorger.

L'ogre, s'étant éveillé vers minuit, regretta d'avoir différé au lendemain ce qu'il pouvait exécuter le jour même. Il se leva donc brusquement de son lit, et prit son grand couteau :

– Allons voir comment se portent nos petits drôles, pensa-t-il.

Il monta à tâtons à la chambre de ses filles et s'approcha du lit où étaient les petits garçons, qui dormaient tous, excepté le Petit Poucet.

L'ogre voulut saisir un garçonnet, mais sentant la couronne sur sa tête, il pensa :

– Vraiment, j'allais faire là un bel ouvrage ; je vois bien que j'ai trop bu hier soir.

Il alla ensuite vers l'autre lit et, ayant tâté les petits bonnets des garçons, il coupa sans hésiter la gorge à ses sept filles. Fort content de ce coup, il alla se recoucher auprès de sa femme. Dès que le Petit Poucet entendit l'ogre ronfler, il réveilla ses frères, et les obligea à le suivre. Ils descendirent doucement dans le jardin, et sautèrent par-dessus la clôture. Ils coururent presque toute la nuit, tremblant de peur et sans savoir où ils allaient.

Au matin, à son réveil, l'ogre dit à sa femme :

– Va me préparer les petits drôles d'hier au soir pour mon petit déjeuner.

L'ogresse monta et, quand elle découvrit ses sept filles égorgées, elle s'évanouit. L'ogre fut aussi horrifié que sa femme lorsqu'il comprit son erreur.

– Ah! Qu'ai-je fait là? s'écria-t-il. Ils me le payeront. Femme, donne-moi vite mes bottes de sept lieues, que je les attrape!

Et il partit. Après avoir cherché bien loin de tous les côtés, il entra sur le chemin que suivaient les pauvres enfants, qui n'étaient plus qu'à cent pas du logis de leurs parents. Soudain, ils aperçurent l'ogre qui allait de montagne en montagne, et qui traversait des rivières aussi aisément qu'il l'aurait fait avec le moindre ruisseau. Le Petit Poucet vit un rocher creux, proche du lieu où ils étaient. Il y cacha ses six frères, et s'y fourra aussi, tout en surveillant les gestes de l'ogre. Fatigué de sa longue course, celui-ci voulut se reposer, et il s'assit non loin de là où les garçons s'étaient cachés. Épuisé, il s'endormit aussitôt et ronfla.

Le Petit Poucet dit à ses frères de profiter du sommeil de l'ogre pour rejoindre la maison de leurs parents. Resté sur place, il s'approcha de l'ogre, lui retira doucement ses bottes, et les mit aussitôt. Les bottes étaient très grandes et bien larges, mais comme elles étaient magiques, elles avaient le don de s'agrandir et de rapetisser selon la taille de celui qui les portait. Ainsi chaussé, il alla droit à la maison de l'ogre où il trouva sa femme qui pleurait.

– Votre mari, lui dit le Petit Poucet, est en grand danger, car il a été capturé par une troupe de voleurs qui ont juré de le tuer s'il ne leur donnait tout son or et tout son argent.

Pour sauver son mari, la femme lui donna aussitôt tout ce qu'elle avait. Le Petit Poucet, chargé de toutes ces richesses, revint au logis de ses parents, où il fut reçu avec joie.

cendrillon

Il était une fois un gentilhomme qui épousa en secondes noces une femme, la plus hautaine et la plus fière qu'on eût jamais vue. Elle avait deux filles qui lui ressemblaient en toutes choses. Le mari avait de son côté une jeune fille d'une douceur et d'une bonté sans exemple ; elle tenait cela de sa mère, qui avait été la meilleure femme du monde. Les noces ne furent pas plus tôt faites que la belle-mère laissa éclater sa mauvaise humeur.

Elle ne supportait pas les qualités de cette jeune enfant, qui rendaient ses filles plus détestables encore.

Alors, elle la chargea des plus basses occupations de la maison :
nettoyer la vaisselle et les escaliers, frotter la chambre de la marâtre,
et celles de ses filles. Elle l'envoya dormir tout en haut de la maison,
dans un grenier, sur une vieille paillasse. Les deux sœurs, elles,
avaient chacune une chambre parquetée et meublée d'un lit des
plus à la mode et de miroirs où elles pouvaient s'admirer de la tête
aux pieds. La pauvre jeune fille souffrait en silence, et n'osait s'en
plaindre, même à son père.

Lorsqu'elle avait fini son ouvrage, elle allait s'asseoir au coin de la cheminée dans les cendres, ce qui lui valut le surnom de Cucendron. La cadette, qui n'était pas aussi méchante que son aînée, l'appelait Cendrillon. Malgré tous ces tourments, Cendrillon, avec ses misérables habits, était cent fois plus belle que ses sœurs, qui, elles, étaient vêtues des plus belles robes.

Un jour, le fils du roi donna un bal et il y invita toutes les personnes de qualité : nos deux demoiselles y furent donc conviées. Les voilà, à présent, bien occupées à choisir les tenues et les coiffures qui leur conviendraient le mieux pour l'occasion. Elles ne parlaient plus que de cette fête et de la manière dont elles s'habilleraient.

— Moi, dit l'aînée, je mettrai mon habit de velours rouge et mon col en dentelle.

— Moi, dit la cadette, je n'aurai que ma jupe ordinaire ; mais, en revanche, je porterai mon manteau à fleurs d'or et ma rivière de diamants, celle que tout le monde m'envie.

Il fallut ensuite choisir une coiffure. Elles appelèrent Cendrillon pour lui demander son avis, car elle avait bon goût. Cendrillon les conseilla le mieux du monde, et se proposa même de les coiffer ; ce qu'elles acceptèrent. Pendant qu'elle les peignait, les deux sœurs, ironiques, lui proposèrent de les accompagner.

– Hélas, mesdemoiselles, vous vous moquez de moi, ce n'est pas là ce qu'il me faut !

– Tu as raison, un Cucendron au bal du roi, quelle honte !

Une autre que Cendrillon les aurait coiffées de travers, mais elle était bonne et elle leur fit la plus jolie des coiffures.

Lorsqu'elles furent prêtes, Cendrillon les regarda partir. Dès que leur carrosse disparut au bout du chemin, elle se mit à pleurer.

Sa marraine, qui était une fée, apparut à ce moment-là. La découvrant tout en larmes, elle lui demanda la raison de sa tristesse.

– Je voudrais bien… je voudrais bien…

Elle pleurait si fort qu'elle ne put achever. Sa marraine lui dit :

– Tu voudrais bien toi aussi aller au bal, n'est-ce pas ?

– Oh oui ! Ce serait si merveilleux ! répondit Cendrillon en soupirant.

– Eh bien, puisque c'est ce que tu veux, tu iras ! lui promit la fée.

Elle la mena dans le jardin et lui ordonna :
– Va dans le potager et rapporte-moi une citrouille.
Cendrillon alla aussitôt cueillir la plus belle qu'elle put trouver,
et la porta à sa marraine, bien qu'elle ne comprît pas comment
cette citrouille la mènerait au bal. La fée la creusa et, n'ayant laissé
que l'écorce, la frappa de sa baguette. La citrouille fut aussitôt
transformée en un beau carrosse tout doré.
Ensuite, elle alla regarder dans la souricière, où elle découvrit six
souris. Et, d'un coup de baguette, les petites bêtes furent aussitôt
changées en un bel attelage de six chevaux, à la robe d'un beau gris
souris pommelé.

– Maintenant, il nous faut un cocher, dit la fée. Un rat fera bien l'affaire.

Cendrillon lui rapporta la ratière, où il y avait trois gros rats. La marraine en prit un et le métamorphosa en un cocher imposant, qui avait la plus belle paire de moustaches qu'on ait jamais vue. Ensuite, la marraine transforma six lézards en six élégants laquais à la livrée chamarrée, qui prirent place à l'arrière du carrosse.

Satisfaite, la fée dit à Cendrillon :

– Te voilà prête pour aller au bal, n'est-ce pas ?

– Oui, mais est-ce que j'irai comme ça, avec mes vilains habits ?

Alors sa marraine la toucha avec sa baguette : ses vêtements se changèrent en une splendide robe brodée d'or et d'argent et incrustée de pierreries ; elle lui donna ensuite une paire de pantoufles de vair, les plus jolies du monde. Ainsi parée, Cendrillon monta dans le carrosse. Juste avant de la laisser partir, sa marraine l'avertit que cet enchantement s'achèverait à minuit et que, à ce moment précis, son carrosse redeviendrait citrouille, ses chevaux des souris, ses laquais des lézards, son cocher un gros rat et que ses vêtements reprendraient leur première forme. Il lui faudrait donc avoir quitté le bal avant le douzième coup de l'horloge.

Cendrillon promit à sa marraine d'être vigilante et partit, le cœur rempli de joie.

Quand Cendrillon arriva au palais, la fête battait son plein. Dès que son carrosse pénétra dans la cour du château, on avertit le fils du roi qu'une belle princesse inconnue venait d'arriver. À cette nouvelle, il se précipita pour l'accueillir. Ébloui devant sa grâce, il l'aida à descendre du carrosse et l'escorta jusqu'à la salle de bal.
À leur entrée, un grand silence s'installa ; tout le monde cessa de danser, et les violons se turent. Personne ne se lassait d'admirer la grande beauté de cette inconnue. De temps à autre, on entendait seulement :
– Ah ! Comme elle est belle ! Mais qui peut-elle bien être ?

Le roi, malgré son grand âge, ne la quittait pas des yeux, confiant même tout bas à la reine son épouse qu'il y avait longtemps qu'il n'avait vu une si belle et si aimable personne. Toutes les dames présentes au bal la dévoraient du regard : elles étaient attentives aux moindres détails de sa coiffure et de ses habits, espérant dès le lendemain en avoir de semblables.

Le fils du roi la conduisit vers la table du banquet et l'installa à la place d'honneur. À la fin du repas, le prince se leva pour l'inviter à danser : elle évoluait sur la piste avec tant de grâce que tous les convives l'admirèrent encore davantage.

Quand Cendrillon entendit sonner onze heures trois quarts au carillon de l'horloge du palais, elle fit précipitamment une révérence au prince, et s'enfuit le plus vite qu'elle put.
Le jeune homme tenta de la suivre, mais il ne réussit pas à la rattraper. Dans sa course, Cendrillon avait laissé tomber une de ses pantoufles de vair. Le prince la trouva et la ramassa délicatement, se demandant comment il pourrait retrouver cette charmante princesse.

De retour du bal, les deux sœurs racontèrent à Cendrillon qu'après le départ de la belle inconnue le prince n'avait cessé de regarder amoureusement la pantoufle qu'elle avait perdue dans sa fuite. Effectivement, peu de jours après, le fils du roi proclama qu'il épouserait celle dont le pied siérait à la pantoufle. Alors, les princesses, les duchesses, et toutes les dames de la cour l'essayèrent, mais en vain.

Enfin vint le tour des deux sœurs. Elles tentèrent de mettre leur
pied dans la pantoufle, mais sans succès. Cendrillon demanda alors
gentiment de l'essayer à son tour.

Ses sœurs éclatèrent méchamment de rire. Mais le gentilhomme qui
était chargé de l'essai de la chaussure, trouvant Cendrillon fort belle,
répondit qu'il avait ordre de l'essayer à toutes les jeunes filles. Il fit
donc asseoir Cendrillon et, approchant la pantoufle de son petit
pied, vit qu'il y entrait sans peine.

L'étonnement des deux sœurs fut grand, mais plus grand encore quand Cendrillon tira de sa poche l'autre petite pantoufle qu'elle mit à son pied. Sur ces entrefaites arriva la marraine de Cendrillon, qui donna un coup de baguette sur ses habits et les transforma en une robe tout aussi belle que celle du bal.

Alors les deux sœurs reconnurent la belle inconnue. Elles se jetèrent à ses pieds pour lui demander pardon pour toutes leurs méchancetés. Cendrillon les releva, et leur dit, en les embrassant, qu'elle leur pardonnait de bon cœur.

Sans attendre, Cendrillon fut conduite auprès du jeune prince. Parée comme elle l'était, le jeune homme la trouva encore plus belle que dans son souvenir. Quelques jours plus tard, leur mariage fut célébré de manière fastueuse. Cendrillon fit loger ses deux sœurs au palais, et les maria le jour même à deux grands seigneurs de la cour.

Le Petit Chaperon rouge

*I*l était une fois, dans un village, une petite fille, la plus jolie qu'on ait vue. Sa mère en était folle, et sa grand-mère plus folle encore. Celle-ci lui fit confectionner un petit bonnet rouge, qui lui seyait si bien que, partout, on l'appelait le Petit Chaperon rouge.

Un jour, sa mère, ayant préparé des galettes, lui dit :

– Va voir comment se porte ta grand-mère, car elle est malade. Porte-lui ces galettes et ce petit pot de beurre.

Le Petit Chaperon rouge se mit aussitôt en route pour aller chez sa grand-mère, qui demeurait dans un village de l'autre côté de la forêt.

– Ne tarde pas en chemin et sois prudente ! lui dit sa maman.

En passant dans le bois, elle rencontra compère le loup, qui fut bien tenté de la manger. Mais il n'osa pas, car quelques bûcherons coupaient du bois non loin de là. Alors, il lui demanda où elle allait; la petite fille, qui ne savait pas qu'il est dangereux d'écouter un loup, lui dit:

— Je vais voir ma grand-mère, et lui porter des galettes et un petit pot de beurre que ma maman lui a préparés.

— Où habite-t-elle? Est-ce loin d'ici? lui demanda le loup.

— Oh! oui, dit le Petit Chaperon rouge, c'est la première maison du village, au-delà du moulin que vous voyez là-bas.

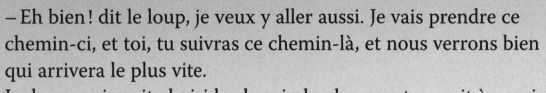

– Eh bien ! dit le loup, je veux y aller aussi. Je vais prendre ce chemin-ci, et toi, tu suivras ce chemin-là, et nous verrons bien qui arrivera le plus vite.

Le loup, qui avait choisi le chemin le plus court, se mit à courir de toutes ses forces. De son côté, la petite fille, qui empruntait le chemin le plus long, s'amusa à cueillir des noisettes, à courir après des papillons, et à faire des bouquets avec les petites fleurs qu'elle trouvait.

Le loup ne fut donc pas long à arriver à la maison de la grand-mère.
Il frappa à la porte.
– Qui est là ? répondit une voix de l'intérieur.
– C'est votre petite-fille, le Petit Chaperon rouge, dit le loup, en
changeant sa voix. Je vous apporte des galettes et un petit pot de
beurre que maman vous a préparés.
La grand-mère, qui était couchée dans son lit, car elle ne
se sentait pas très bien, lui cria :
– Tire la chevillette et la bobinette cherra.
Le loup tira la chevillette et la porte s'ouvrit.

À peine entré, il se jeta sur la vieille femme et la dévora en un rien de temps, car il y avait plus de trois jours qu'il n'avait pas mangé. Ensuite, il referma la porte. Il se mit à chercher des vêtements dans l'armoire de la grand-mère, les enfila et alla se coucher à sa place dans le lit.

Le Petit Chaperon rouge arriva quelque temps plus tard et
frappa à la porte.

– Qui est là ? lui répondit-on.

En entendant la grosse voix du loup, le Petit Chaperon rouge eut
peur tout d'abord, mais, pensant que sa grand-mère était enrhumée,
répondit :

– C'est votre petite-fille, le Petit Chaperon rouge, qui vous apporte
des galettes et un petit pot de beurre que maman vous a préparés.

Le loup lui cria, en adoucissant un peu sa voix :

– Tire la chevillette et la bobinette cherra.

Le Petit Chaperon rouge tira la chevillette et la porte s'ouvrit.

Le loup la regarda entrer et lui dit en se cachant sous la couverture :

– Dépose tes galettes et ton petit pot de beurre sur la table, et viens t'asseoir près de moi.

Le Petit Chaperon rouge déposa ses galettes et son petit pot de beurre sur la table et s'approcha du lit de sa grand-mère.

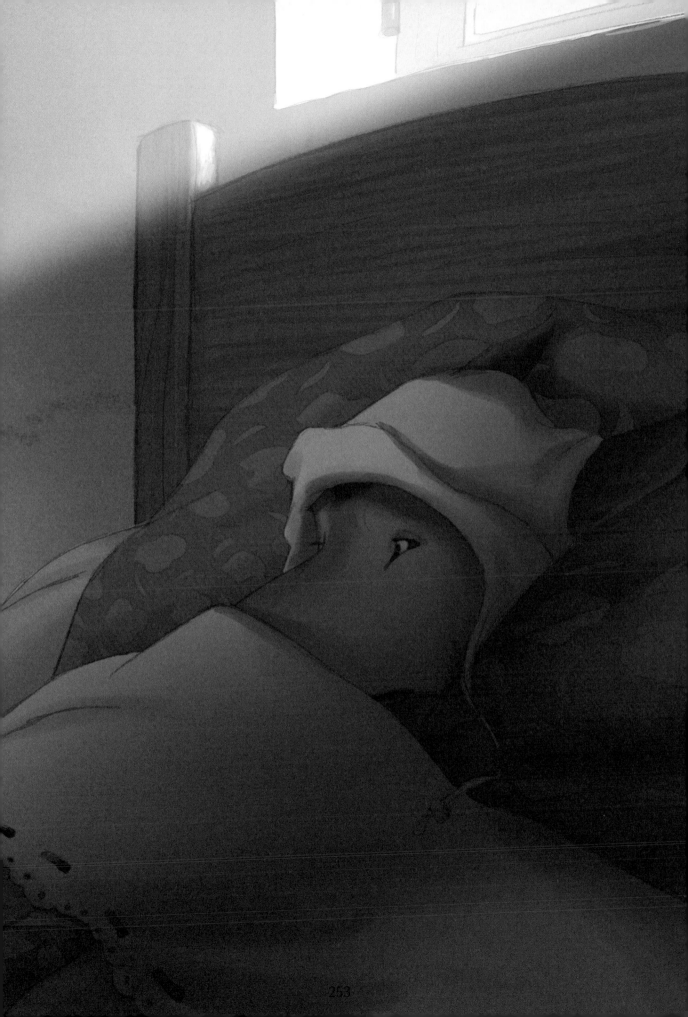

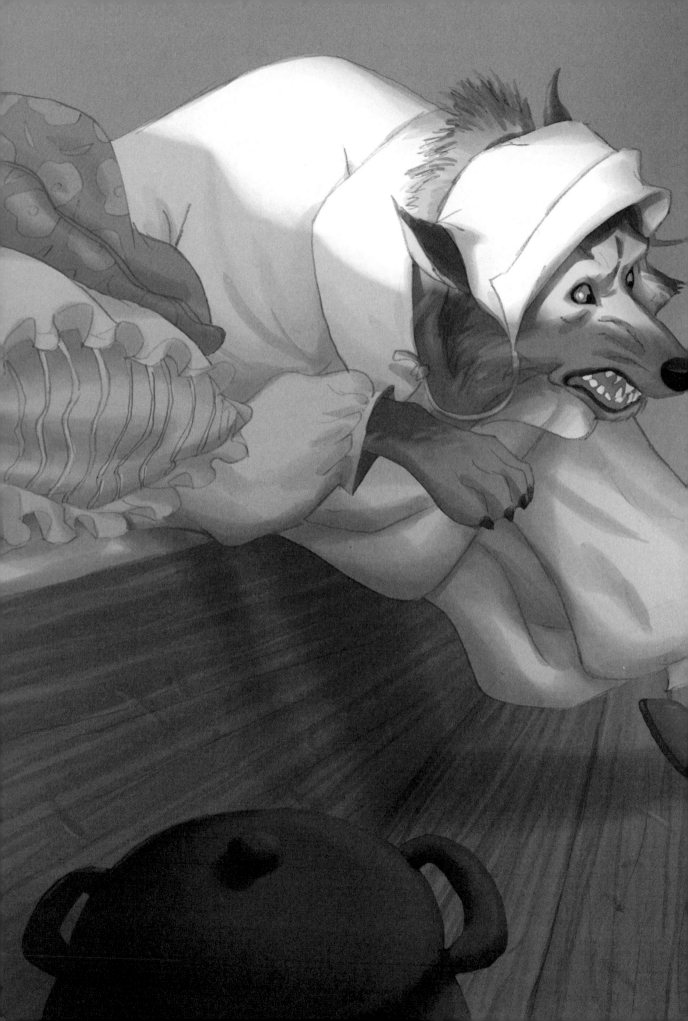

Un peu surprise, elle lui dit :
— Grand-mère, que vous avez de grands bras !
— C'est pour mieux t'embrasser, ma petite fille.
— Grand-mère, que vous avez de grandes jambes !
— C'est pour mieux courir, mon enfant.
— Grand-mère, que vous avez de grandes oreilles !
— C'est pour mieux t'écouter, mon enfant.
— Grand-mère, que vous avez de grands yeux !
— C'est pour mieux te voir, mon enfant.

— Grand-mère, que vous avez de grandes dents !
— C'est pour mieux te manger...
Tout en disant ces mots, le méchant loup se jeta
sur le Petit Chaperon rouge et l'avala.
Repu, le loup sortit de la maison et s'installa sous
un arbre et s'endormit.

Un bûcheron qui passait par là vit le loup, le ventre bien tendu. D'un grand coup de couteau, il lui ouvrit les entrailles et découvrit le Petit Chaperon rouge et sa grand-mère, bien vivantes dans l'estomac du loup. Il avait une telle faim qu'il les avait avalées tout rond, sans prendre la peine de les croquer.

La fillette et la grand-mère s'embrassèrent et le Petit Chaperon Rouge promit que, dorénavant, elle ne traînerait plus en chemin.